Le pouvoir

Théologiques
Volume 8/2 (automne 2000)

Cette revue bénéficie de subventions du Fonds des donateurs
de la Faculté de théologie de l'Université de Montréal
et du Conseil de recherche en sciences humaines du Canada.

Théologiques

une revue de recherche interdisciplinaire, qui entend promouvoir l'avancement de la recherche en théologie, en dialogue avec les sciences humaines. La revue est publiée deux fois par année (printemps et automne) par la Faculté de théologie de l'Université de Montréal.

Direction

Guy Lapointe,	Directeur
Jean-Marc Gauthier,	Secrétaire de rédaction
Alain Gignac,	Trésorier
Sylvie Talbot,	Secrétaire à l'administration

Comité de rédaction

Jean-Marc Gauthier, théologie – ecclésiologie ; Olivette Genest, exégèse ; Alain Gignac, exégèse biblique ; Guy Lapointe, liturgie ; Nicole Laurin, sociologie ; Walter Moser, littérature comparée ; Jean-Guy Nadeau, praxéologie pastorale ; Jean-Claude Petit, théologie ; Gilbert Renaud, service social.

Administration

THÉOLOGIQUES

Faculté de théologie, Université de Montréal
C.P. 6128, Succursale « Centre-ville »
Montréal (Québec) H3C 3J7
Téléphone : (514) 343-5642
Télécopieur : (514) 343-5738
Théologiques sur le web : http://www.erudit.org

Abonnements

	1 an	2 ans
Étudiant	14$ can*	22$ can*
Personnel	20$ can*	34$ can*
Institutions	32$ can*	60$ can*
Étranger	20$ US	34$ US
Étranger (institutions)	30$ US	50$ US
Ancien numéro	12$ can	* incluant la TPS
	15$ US	

Dépot légal - 2ᵉ trimestre 2001
Bibliothèque nationale du Québec
Bibliothèque nationale du Canada
ISSN : 1188-7109
Imprimé au Canada

Enchevêtrés dans des histoires de pouvoir

VOLUME DÉFRAÎCHI

Jean-Guy NADEAU

Nous sommes enchevêtrés dans des histoires, écrivait Wilhelm Schapp, des histoires à travers lesquelles se construisent l'identité de l'individu comme celle de la nation. Or, ces histoires sont des histoires de pouvoir, de coopération, de lutte, de domination, de résistance, d'abus, de survie. Et ce, jusque dans la dite *histoire sainte* dont les récits n'ont rien d'histoires pieuses mais sont, comme le notait Robert Alter, des histoires de ruses, de meurtres, de viols, de guerres, de massacres[1]. Et de salut. Nos histoires, comme celles de la Bible, sont dramatiques : un homme tue son frère, les premiers nés d'un peuple sont exterminés, des femmes et des bébés sont passés au fil de l'épée, des industriels exploitent le travail de leurs ouvriers et ouvrières, un homme abuse de sa fille ou un jeune gardien du bébé dont il a la charge, une communauté impose sa religion et ses violences à l'ensemble d'un pays, une Américaine dans la quarantaine électrocute un inconnu dans le cadre d'une expérience sur la torture[2] — un usage du pouvoir que 25 % des Français jugent « acceptable dans certains cas exceptionnels » dont la définition semble plutôt large[3] —, un prêtre *remet les péchés*, une femme guérie se relève,

---

1.   Paul RICOEUR, « Le récit interprétatif. Exégèse et Théologie dans les récits de la Passion. » *RSR* 73/1 (1985) 18.

2.   Stanley MILGRAM, *Obedience to Authority*, Harper & Row, 1974, pp 79ss, cité dans John CONROY, *Unspeakable Acts, Ordinary People. The Dynamics of Torture*, Alfred Knopf, New York, 2000, p. 98.

3.   *Connaissance, attitude et jugement des français sur la torture*, sondage CSA / Amnesty International-Le Monde, septembre 2000. Disponible sur le site http://www.amnesty.asso.fr/02_agir/24_campagnes/torture/Sondage.htm

une autre décroche un emploi après des années de formation, un homme dans la quarantaine apprend à écrire, un autre peut marcher après des mois de thérapie, une femme confronte son agresseur, de jeunes ouvriers luttent pour fonder un syndicat chez *McDonald's*.

Dans ces histoires qui tissent notre existence, nous sommes constamment confrontés au pouvoir que nous exerçons et que nous devons exercer pour vivre, confrontés au pouvoir que les autres exercent, aux limites, aux abus et aux risques d'abus de notre pouvoir et de celui des autres. C'est ainsi que le pouvoir constitue un objet majeur des sciences humaines et sociales, au point que Bertrand Russell y trouvait un concept aussi fondamental dans les sciences sociales que l'énergie en physique.

Or, le pouvoir apparaît le plus souvent comme un problème, un problème dont les deux faces, l'abus et le manque, sont souvent l'envers l'une de l'autre. Si le *pouvoir-sur* est largement récusé, surtout dans les milieux de gauche, le *pouvoir-de* (la puissance?) est de plus en plus réclamé par des individus, des collectivités, voire des peuples entiers[4]. À ce double problème, s'ajoute, particulièrement dans le discours religieux, celui de légitimations du pouvoir, elles-mêmes souvent abusives. Comme le sacré qu'il détermine souvent, le pouvoir fascine et effraie, particulièrement quand il ne connaît pas ou presque pas de limite. D'où, entre autres raisons, la sacralisation de certains phénomènes naturels ou politiques doués d'une puissance ou d'un pouvoir particulier, ou particulièrement évident, et sur lesquels se sont adossés, comme sur leur archéologie, maints pouvoirs religieux. Nous y reviendrons.

Dans la littérature scientifique, le pouvoir apparaît d'abord, et de façon massive, comme *pouvoir-sur*, pouvoir des uns sur les autres, domination de groupes sur d'autres groupes : des chefs sur la masse, des seigneurs sur les serfs, des hommes sur les femmes, du magistère sur les fidèles, etc. Le pouvoir désigne alors la capacité de modifier ou d'influencer la conduite d'autres individus ou groupes selon sa propre volonté. C'est ainsi que Michel Foucault signale que « Le trait distinctif du pouvoir, c'est que certains hommes peuvent plus ou moins entièrement déterminer la conduite d'autres hommes — mais jamais de

---

4.   Nous reviendrons à cette distinction, en partie injustifiée, entre *pouvoir-de* et *pouvoir-sur*.

manière exhaustive et coercitive », ajoute Foucault pour distinguer pouvoir et force[5]. Le paradigme socio-politique s'avère alors dominant et le pouvoir, souvent attribué à des organisations et à des institutions, nomme un vecteur, vertical, des rapports sociaux. Le pouvoir est alors déterminé par ses effets sur l'autre et ses typologies surtout élaborées en fonction des mécanismes et des ressources de la détermination de l'autre.

D'autres types d'études, auxquelles réfère l'article de Ruard Ganzevoort, considèrent le pouvoir selon un paradigme plus horizontal, tout en étant sensibles à sa dissymétrie. Ce paradigme paraît plus près d'une sociologie de l'expérience, des théories de l'action (sociale), de l'organisation, de la communication, de la pragmatique. Erhard Friedberg, spécialiste de l'action organisationnelle, présente « le pouvoir comme capacité de structurer l'échange négocié de comportements en sa faveur [...] comme l'échange déséquilibré de possibilités d'action, c'est-à-dire de comportements entre un ensemble d'acteurs individuels et/ou collectifs[6] ».

De telles définitions du pouvoir mettent l'accent sur sa nature relationnelle et son caractère contextuel. « Le pouvoir, poursuit Friedberg, n'est pas un attribut, et il ne peut être possédé [... comme un bien...]; il se trouve dans les structures préexistantes de l'espace d'action, ou plutôt dans l'asymétrie des ressources que les acteurs peuvent tirer de celles-ci pour mener leurs transactions[7] ». Le pouvoir s'avère en somme attribut d'une relation et largement déterminé par l'asymétrie des ressources.

Je peux, donc je suis

Le pouvoir, cependant, et nous le voyons clairement chez Giddens, n'est pas d'abord domination sur les autres. Giddens n'élabore pas une théorie du pouvoir au sens classique du terme. C'est à travers l'étude de l'action sociale qu'il en vient à s'intéresser au pouvoir qu'il saisit comme la capacité des agents de modifier quelque chose dans le

5. Michel FOUCAULT, « *Omnes et singulatim* : Vers une critique de la raison politique », *Le Débat* 41 (sept-nov 1986) 34.
6. Erhard FRIEDBERG, *Le pouvoir et la règle*, Paris, Seuil, 1993, p. 113.
7. *Ibid.*, p. 113-114.

cours des événements, de mobiliser des ressources pour réaliser leur volonté[8]. Dans cette perspective plus proche d'Aristote que de Marx, le pouvoir apparaît *pouvoir de*, pouvoir d'agir, pouvoir de se déterminer, capacité, liberté, autonomie, voire responsabilité.

On ne saurait toutefois renvoyer dos-à-dos les conceptions politiques et phénoménologiques du pouvoir, ou encore ses dimensions systémiques et subjectives. D'abord, parce que le *pouvoir-de* n'existe pas sans rapport au social, sans enracinement social. Ensuite, parce que l'exercice du pouvoir consiste justement dans l'articulation du systémique et de l'intentionnalité de l'agent. Avec von Wright, Ricoeur identifie cette articulation comme relevant de la capacité d'un agent de faire coïncider une des choses qu'il sait pouvoir faire avec l'état initial et les relations internes de conditionnalité d'un système[9]. Comme le pouvoir chez Giddens, l'initiative ou l'intervention chez Ricoeur « cause effectivement des changements dans le monde[10] ».

Paul Ricoeur, particulièrement dans *Soi-même comme un autre*, a fait beaucoup pour rappeler à l'anthropologie philosophique l'importance fondamentale des pouvoirs ou des capacités de base, des capacités fondatrices du sujet. S'appuyant entre autres sur la pragmatique du langage, la théorie de l'action, la phénoménologie, le récit et l'éthique, Ricoeur thématise ce que le pouvoir a d'essentiel pour l'être humain. Pouvoir dire et se dire, pouvoir agir et déterminer le monde, pouvoir raconter et interpréter (dire et faire le sens), pouvoir estimer, juger et viser le bien, autant de compétences de base nécessaires à l'élaboration du sujet. Et bien que Ricoeur n'en parle pas, on connaît les drames liés à l'absence ou à la confiscation de ces pouvoirs. À revers des capacités de base énumérées ci-dessus, se dessinent ce qu'on pourrait identifier comme des incapacités de base : incapacité de dire et de se dire ; incapacité d'agir, d'interpréter, d'évaluer ou de juger ; incapacité de saisir l'unité de sa vie ou d'établir son identité ; incapa-

---

8.   L'Ancien Testament utilise un même terme pour désigner le pouvoir et la main.
9.   Paul RICOEUR, « L'initiative », dans *Du texte à l'action*, Paris, Seuil, 1986, p. 270-271.
10.   Paul RICOEUR, « Approches de la personne », *Esprit* 160 (mars-avril 1990) 125.

cité de s'estimer et de se respecter aussi bien que d'estimer et de respecter autrui[11].

Le pouvoir relève alors du *Je peux*, c'est-à-dire des capacités et de l'autonomie du sujet, davantage que de la capacité de déterminer la conduite d'autres sujets, bien que cette capacité ne lui soit pas étrangère. Le pouvoir, en effet, s'exerce toujours « sur » : sur soi, sur le monde, sur les autres. Tout se passe alors comme si nous assistions à une réhabilitation du pouvoir. Le pouvoir est considéré comme nécessaire et ce sont ses conditions d'exercice qui sont maintenant évaluées et critiquées.

D'où l'attention que Ricoeur apporte lui aussi à la dissymétrie foncière du pouvoir et de l'action : « Agir pour un agent c'est exercer un *pouvoir-sur* un autre agent [...] l'action est faite par quelqu'un et subie par quelqu'un d'autre »[12]. L'action et le pouvoir appellent ainsi une éthique dont l'enjeu est que l'autre, le patient de mon action, ne devienne la victime de mon action. « Il y a moralité, poursuivait Ricoeur, parce qu'il y a violence[13] ». L'abus de pouvoir de l'un, en effet, signe le plus souvent la perte de pouvoir de l'autre, perte qui peut être plus ou moins radicale. Dans certains cas, ces pertes exigent une stratégie d'appropriation ou de réappropriation de ses pouvoirs (*empowerment*) qui permette au sujet de retrouver ses capacités de base telles dire, agir, raconter, estimer et juger ; en somme, sa capacité de vivre, de bien vivre. Le pouvoir n'est-il pas, en fin de compte, « the ability to make or establish a claim on life [...] power is co-extensive with life itself. [...] To be alive is to exercise power in some degree[14] ».

---

11. Cf. Jean-Guy NADEAU, « Herméneutique du sujet et théologie pratique. Quelques apports de Paul Ricoeur » dans J.C. PETIT et J.C. BRETON, dir., *Seul ou avec les autres? Le salut chrétien à l'épreuve de la solidarité*, Montréal, Fides, 1992, pp 359-377.

12. Paul RICOEUR, « Approches de la personne »,, *loc.cit.*, p. 126.

13. Paul RICOEUR, « Les structures téléologique et déontologique de l'action: Aristote et/ou Kant? », dans J.-G. NADEAU, dir., *L'interprétation, un défi de l'action pastorale*, Montréal, Fides, 1989, p. 22.

14. James Newton POLING, *The Abuse of Power. A Theological Problem*, Nashville, Abigdon, 1991, p 24. Poling emprunte ici la définition de Bernard Loomer. Voir aussi James N. POLING, *Deliver Us from Evil. Resisting Racial and Gender Oppression*, Minneapolis, Fortress Press, 1996.

Pouvoir et religion

La religion, on le sait, peut être utilisée aussi bien pour accroître que pour réduire le pouvoir des uns et des autres, plus souvent, en fait, les uns que les autres. Ses pouvoirs sont nombreux[15]. La religion exorcise et administre l'angoisse de la mort en affirmant l'immortalité de l'âme. Elle peut faciliter la survie de la collectivité par la conversion symbolique de la violence, ou elle peut elle-même justifier ou engendrer la violence. Mais surtout, la religion et plus précisément les autorités religieuses contrôlent l'accès au Sacré ou au divin, détenant ainsi une ressource majeure pour déterminer la conduite d'autres hommes (Foucault). C'est ainsi, comme on l'a déjà dit, qu'elle est souvent utilisée pour fonder le pouvoir des uns sur les autres. La théologie contemporaine est très sensible à ces fonctions sociales de la religion et dénonce régulièrement les légitimations religieuses ou l'absolutisation du pouvoir au nom du Sacré. On songe d'emblée ici aux théologies féministes et aux théologies de la libération, mais la critique théologique du pouvoir déborde largement ces théologies plus connues pour s'étendre à l'ensemble du discours théologique.

Le pouvoir vertical occupe une place majeure dans la majorité des religions où l'obéissance et la soumission apparaissent comme des vertus fondamentales. En témoigne, dans notre histoire, le *Catéchisme des Provinces ecclésiastiques de Québec, Montréal et Ottawa* (1888) qui, au moins jusqu'en 1951, a formé l'identité et les consciences religieuses de plusieurs de nos concitoyens[16]. Sa dynamique de fond était en principe celle de la foi, de l'espérance et de la charité, mais le moral — organisé autour des catégories d'obligation, d'obéissance et de soumission — y avait largement envahi le théologal. 130 questions sur 508, soit plus de 25 %, portaient explicitement et formellement sur une obligation. À 389 reprises, on y proposait une morale du devoir, de l'obligation, de la nécessaire soumission à un ordre donné. Le modèle en est celui de l'autorité des parents sur les enfants : c'est en obéissant

---

15. Jacqueline RUSS, *Les théories du pouvoir*, Paris, Librairie générale française (Le Livre de poche), 1994, p 236ss.
16. J'emprunte ce qui suit à Gabriel DUSSAULT, S.J., « La religion de l'ordre... et après? », *Relations* 377 (1972) 330-334. Cf. aussi Gilles RAYMOND, « Quelles catéchèses? Quelles éthiques? », *Communauté chrétienne* 132 (1983) 580-595.

aux commandements de Dieu et de l'Église que l'on fera le bien et évitera le mal. Cette dynamique marquait même l'énoncé des objectifs de l'Université qui « emploiera toute son énergie, toutes ses forces, à former des élèves en qui brilleront la foi, la soumission, la pureté, l'amour du travail, toutes ces vertus qui répandent une grâce exquise sur les rapports habituels de ceux qui commandent et de ceux qui obéissent, de ceux qui enseignent et de ceux qui sont étudiants[17] ». De toute évidence, ce n'est pas seulement la métaphysique chrétienne qui fait problème dans notre contexte de (post-) modernité, mais aussi, et c'est bien connu, la vision et la gestion ecclésiales de l'autorité.

L'autorité des parents sur les enfants était la métaphore de base du *Petit catéchisme*. C'eut tout aussi bien pu être le pouvoir du pasteur sur ses brebis, pouvoir pastoral que Michel Foucault situait à l'origine de la police moderne, puis de l'État Providence qu'il considérait comme sécularisation de la pastorale chrétienne. Attention, cependant, la police ne désigne pas ici l'institution de contrôle du crime que nous connaissons, mais une technique de gouvernement qui « veille à tout ce qui touche au bonheur des hommes »[18] et donc à la qualité — y compris morale — de la vie, jusqu'au dessin des paquets de cigarettes canadiens. Alors que le pouvoir pastoral hébraïque supposait « une attention individuelle à chaque membre du troupeau » dont il vise le bien, la tradition chrétienne accentuera la soumission personnelle, la « dépendance individuelle et complète » envers la volonté du pasteur[19]. « Etre guidé était un état et vous étiez fatalement perdu si vous tentiez d'y échapper[20] ». Ce à quoi font encore écho le discours et la pratique de certains pasteurs, gourous et ayatollas contemporains.

L'autorité religieuse affirme et définit d'en haut, sans appel. C'est ainsi que l'étude de la religion jette une lumière crue sur la verticalité de certains pouvoirs de définition de la vérité ou même du réel. Déjà en

---

17. *La Semaine religieuse de* Québec, vol. XII (1899-1900) 735; cité dans Dussault, p. 331.
18. Michel FOUCAULT, « *Omnes et singulatim* : Vers une critique de la raison politique », conférence à l'Université de Stanford octobre 1979, *Le Débat* 41 (sept-nov 1986) 30. Voir aussi Michel FOUCAULT « Pourquoi étudier le pouvoir : la question du sujet », dans H. DREYFUS et P. RABINOW, *Michel Foucault. Un parcours philosophique*, Paris, Gallimard, 1984, pp. 297-308.
19. Michel FOUCAULT, « *Omnes et singulatim* », *p*. 17.
20. *Ibidem, p*. 19.

1951, Paul Ricoeur signalait que la question de l'autorité (et donc du pouvoir) n'est pas accidentelle à la théologie puisque l'autorité de la Parole de Dieu pour le croyant constitue un aspect fondamental de la Révélation. Ricoeur dénonçait la violence liée « au pouvoir clérical du vrai » et à l'enchaînement « autorité du Verbe, autorité du témoignage scripturaire, autorité de la prédication fidèle, autorité de la théologie. »[21] Or, cet enchaînement pose un problème particulier à la théologie dans la mesure où s'y joue non seulement l'autorité de Dieu sur le croyant, mais celle de l'homme sur l'homme, sous couvert de la Parole de Dieu. Relevant du « magistère authentique » ou « autorisé », l'interprétation est alors au service du pouvoir dominant.

Mais cela n'est peut-être pas aussi tranché. En effet, l'autorité religieuse comme les totalitarismes politiques ou politico-religieux repoussent d'emblée toute interprétation divergente, voire toute interprétation puisque, selon leurs dires, « la vérité n'est pas une question d'interprétation ». Dans un tel contexte, l'herméneutique apparaît comme l'arme des *sans-pouvoir*. Qu'a-t-on besoin d'herméneutique, qu'a-t-on besoin de se réclamer d'herméneutique quand on a le pouvoir d'imposer sa vérité? « Ce sont les demandeurs qui interprètent, dit-il; ceux qui ont et qui sont déclarent[22] ». Voilà peut-être pourquoi Starobinski affirmait que l'acte d'interprétation porte un potentiel révolutionnaire, comme le rappelle Walter Moser dans sa note sur « Pouvoir et interprétation ». On n'en saisit peut-être que mieux l'importance que la théologie féministe accorde au pouvoir de dire, de nommer, de définir le monde et de raconter l'histoire, y compris *l'histoire sainte*.

Une question théologique majeure

Construite sur une expérience religieuse et comme démarche critique face à celle-ci, la théologie a entretenu un rapport trouble avec le pouvoir. La louange du pouvoir divin, dont participaient les pouvoirs de ce monde, a conduit la théologie de l'Empire à faire l'apologie du pouvoir des puissants, tout en étant ici et là critique à son endroit. Plus récemment, la théologie est massivement passée de cette apologie à un soup-

---

21.   Paul RICOEUR, « Vérité et mensonge », *Histoire et vérité*, Paris, Seuil, 1955, p. 180.
22.   Michelet, cité dans Michel DESPLAND, « Un tournant vers l'herméneutique en France en 1806? », *SR*, Vol. 23, no.1 (1994) p. 17, n. 64.

çon généralisé du pouvoir saisi comme domination. Même les tenants du pouvoir ecclésiastique ont remplacé une théologie du pouvoir par une théologie du service, mais plusieurs jugent qu'il ne s'agit là que d'un discours occultant l'exercice autarcique du pouvoir ministériel. D'où la valeur du titre apparemment naïf de l'article de Jacques Racine : « Le pouvoir existe ».

Si l'analyse et la critique de l'exercice du pouvoir ecclésial ont longtemps échappé à la théologie, plus soucieuse de sa divine origine, il en va autrement aujourd'hui. De concert avec les autres sciences humaines, mais avec ses outils propres, la théologie critique vivement l'exploitation religieuse du pouvoir divin. Cette conversion du discours théologique sur le pouvoir émerge en partie des requêtes de l'existence croyante et de la critique des autorités portée par le Nazaréen. Elle lui vient aussi de la culture et du paradigme empirico-historique plutôt qu'essentialiste des sciences sociales qui lui ont révélé l'usage abusif du pouvoir divin ou, plus précisément, du discours sur celui-ci. La théologie a alors, en maints lieux, effectué un renversement de son herméneutique du pouvoir et s'est tournée davantage vers le point de vue des victimes ou des *sans-pouvoir* que vers celui des puissants.

D'une part, donc, la théologie critique, avec les sciences sociales comme avec l'Évangile, les usages humains du pouvoir divin. D'autre part, elle porte sa critique jusqu'au concept même du pouvoir divin, comme on le verra dans les articles de Louise Melançon, Rosemary Ruether et Jean Richard. En nombre de cas, le centre discursif de la théologie s'est même inversé, passant du *Pantocrator* au Crucifié, voire du Père tout-puissant au Fils victime.

En fait, le pouvoir divin a toujours constitué un sujet de réflexion majeur pour la théologie chrétienne. Dès les débuts, devant la croix de Jésus puis devant la souffrance et le mal, les croyants se sont trouvé — et se trouvent toujours — confrontés de façon radicale à la question du pouvoir de Dieu. Mais l'étonnement et les questions ont été largement occultés par les exigences d'affirmations définitives de la liturgie, de la dogmatique et de la catéchèse. C'est ainsi que la métaphore du Seigneur Dieu est si répandue en Occident qu'elle passe pour dire la réalité crue[23]. Or, cette image d'un monarque absolu régnant sur son royaume

---

23. J'aime bien le paradoxe de cette « réalité crue ».

supports conceiving of God as a being existing somewhere apart from the world and ruling it externally either directly through divine intervention or indirectly through controlling the wills of his subjects. [...] The understanding of salvation that accompanies this view is sacrificial, substitutionary atonement, and in Anselm's classic rendition of it the sovereign imagery predominates. Since even a wink of the eye by a vassal against the Liege Lord of the universe would be irredeemable sin, we as abject subjects must rely totally on our sovereign God who'became man' in order to undergo a sacrificial death, substituting his great worth for our worthlessness. Again, we feel the power of this picture : because we are totally unable to help ourselves, we will be totally cared for. We not only are forgiven for our sins and reconciled to our King as once again his loyal subjects but we can also look forward to a time when we shall join him in his heavenly kingdom.[24]

Comme le signale McFague elle-même, ces commentaires semblent relever de la caricature, d'autant que l'image du Seigneur n'est pas la seule image de Dieu portée par la tradition chrétienne. Mais voilà que ces autres images, particulièrement celle du Père, ont été capturées dans l'orbite du modèle monarchique. « The model of God as father [...] could have gone in the direction of parent (and that is clearly its New Testament course), with its associations of nurture, care, guidance, concern, and self-sacrifice, but under the powerful influence of the monarchical model, the parent became the patriarch, and patriarchs act more like kings than like fathers : they rule their children and they demand obedience[25] ». Le même sort a échu au concept réformé de la Parole, comprise comme « Parole du Seigneur ». Le problème n'est pas seulement théologique, mais bien pratique dans la mesure où ce modèle monarchique a justifié sinon nourri non seulement de nombreux pouvoirs mais aussi et surtout de nombreuses oppressions.

Le *Psalm of Anger to a Patriarchal god*[26] illustre de vive façon quelques-unes des conséquences d'un tel modèle et de son usage politique

24.   Sallie McFague, *Models of God,* Philadelphia, Fortress, 1987, p. 64.
25.   *Ibid.*, p. 66. On pourrait toutefois se demander si l'image du patriarche n'a pas plutôt devancé l'autre.
26.   On pourra juger particulièrement significative la graphie de "god" avec la minuscule. Le *Psalm* est de Sheila A. Redmond, « Confrontation Between the Christian God and an Abused Child 25 Years Later », dans *Family Violence in a Patriarchal Society: A Challenge to the Church*, Ottawa,

ou, en ce cas, domestique. Suite à une discussion que nous avions eue, Rosemary Ruether l'évoque au début de son article, mais pour se distancier aussitôt de la figure de Dieu (ou de dieu) qu'il met en scène et en proposer plutôt une tout autre. Ce *Psaume* troublant a été créé pour une liturgie dans le cadre d'une session œcuménique sur la violence faite aux femmes. Malgré ses critiques radicales, il s'identifie comme un psaume, une prière, et il l'est, comme le manifeste l'appel déchirant de sa conclusion : « Où étais-Tu quand j'avais besoin de Toi? » Les familiers des *Psaumes* et surtout du livre de *Job* y reconnaîtront une dynamique biblique où Dieu est pris à partie par le souffrant. James Poling, psychothérapeute avec des survivantes d'abus sexuels, y voit une œuvre courageuse qui correspond à un stade que traversent la plupart des survivantes. Tout en signalant qu'il faut rejeter les images abusives de Dieu que le psaume dénonce, il se demande comment nous pouvons articuler l'expérience dont témoigne ce Psaume avec l'expérience que des survivantes font aussi de la grâce divine[27]. On pourra dire que les visions théologiques qu'il met en scène sont fausses, tronquées ou perverties. Or, c'est justement en cela qu'il illustre quelques-unes des aberrations auxquelles a pu mener une certaine éducation chrétienne conjuguée à des notions déficientes de la puissance divine, des rapports homme/ femme, de la sexualité, de l'obéissance ou de la souffrance, etc[28].

La question du pouvoir traverse toute la théologie comme elle fait des sciences humaines et la remise en cause du pouvoir divin concerne non seulement la théologie mais toute l'existence chrétienne, de la liturgie jusqu'à l'éthique. Si métaphysique puisse-t-elle paraître, la question théologique du pouvoir divin n'est pas étrangère à l'expérience quotidienne. Déterminant la figure de la divinité, elle détermine l'existence des croyants qui s'y réfèrent pour orienter leur vie et y faire sens. Elle concerne la façon dont les croyants sont appelés à construire leur rapport au pouvoir, c'est-à-dire à eux-mêmes, aux autres et à la vie elle-même.

Justice and Corrections, *Family Violence in a Patriarchal Culture: A Challenge to Our Way of Living*, Ottawa, CCJC : CCSD, 1988, p. 118.
27.   Correspondance personnelle avec James POLING, printemps 2000.
28.   Nous avons présenté certaines de ces conséquences, de même que traduit le *Psalm of Anger*, avec la permission de l'auteure, dans Jean-Guy NADEAU, « Éducation chrétienne et réaction à l'inceste », *Prêtre et Pasteur*, vol 94, no 5, (mai 1991) 276-286.

Théologiques 8/2 (2000) 15-32

La dynamique du pouvoir entre violence et justice : réflexions de théologie pratique.

Dr. R. Ruard GANZEVOORT

1. Le concept de pouvoir

Le concept de pouvoir n'est pas étranger à la théologie. De multiples façons, les théologiens et les historiens de la religion ont montré combien pouvoir et divinité sont étroitement liés, et parfois presque synonymes. La notion de « Dieu Tout-Puissant » a servi comme une sorte de critère d'orthodoxie dans de nombreuses religions et confessions chrétiennes. D'autres ont montré comment la structure de l'Église est déterminée par le pouvoir et la hiérarchie[1]. On peut douter que de telles notions puissent survivre au-delà du temps présent ou d'un proche avenir. Les développements historiques d'une démocratie radicalisée dans le domaine de la religion ont atteint leur apogée à notre époque (post-)moderne. Comme l'indique Don Cupitt[2], le langage de tous les jours montre que notre temps en est un d'eschatologie réalisée, où Dieu est tout et en tout. Le monde est donc ce que nous en faisons et aucun pouvoir n'est accepté ou postulé au-dessus de nous. En même temps, le pouvoir demeure une force indéniable dans la conduite

---

1. « Whatever else their congregants believe them to be, sociologically churches are hierarchies of unequal power ». SHUPE, Anson, 1998. « Introduction. The dynamics of clergy malfeasance » dans Shupe, Anson (éd.), *Wolves in the fold. Religious leadership and abuses of power.* New Brunswick (NJ), Rutgers University Press, p. 2 ; POLING, James N., Deliver us from evil. Resisting racial and gender oppression. Minneapolis, Fortress Press, 1996, 220 p. ; Paul BEASLEY-MURRAY, Power for God's sake. Power and abuse in the local church. Carlisle (Royaume-Uni), Paternoster, 1998, 194 p.
2. Don CUPITT, 2000. *Kingdom come in everyday speech.* London, SPCK, 118 p.

humaine, peut-être de la manière la plus visible dans le comportement violent, mais également de manière visible dans la façon de faire régner la paix et la justice, au niveau des individus comme à celui des nations. Pour beaucoup de gens, un système de pouvoir perpétuel accompagné d'une légitimation est moralement et psychologiquement inacceptable. Par conséquent, nous mettrons l'accent sur la *dynamique* du pouvoir dans ses formes relationnelles et religieuses. Comment ce pouvoir peut-il être imaginé, analysé et interprété ? Quelles en sont les conséquences quant aux façons de faire face à la violence et à la justice ? Comment tout cela se rapporte-t-il au domaine religieux/théologique ? Ces questions vont nous guider au cours de cet article.

Le concept dynamique de pouvoir peut être compris comme la capacité à déterminer des éléments du comportement de quelqu'un d'autre, y compris la cognition et les émotions[3]. De façon plus abstraite, on peut le définir dans une perspective d'échange social comme étant « the level of potential cost that an actor can impose on another »[4]. Les théories de l'échange social prennent comme point de départ l'observation suivante, à savoir qu'une bonne part de ce dont nous avons besoin et que nous considérons comme désirable dans la vie ne peut être obtenu que des autres. Les éléments de base d'une de ces théories sont les acteurs qui se comportent selon leurs intentions, les ressources disponibles, les structures d'échange et les transactions elles-mêmes. Pour notre propos, la valeur d'une perspective d'échange social réside dans l'accent qu'elle met sur le pouvoir et sur les interactions réelles entre les acteurs humains, plutôt que sur des positions et structures stables. Dans cette perspective, on propose des distinctions importantes afin de réaliser une analyse de la dynamique du pouvoir. Au cœur des théories de l'échange social se trouve la notion suivante, à savoir que la dépendance mutuelle des acteurs est la condition structurale à la fois de l'échange social et du pouvoir. Même dans les cas où l'on pourrait soutenir que le pouvoir précède la dépendance autant

---

3.   R. Ruard GANZEVOORT, et Alexander L. VEERMAN, 2000. *Geschonden lichaam. Pastorale gids voor gemeenten die geconfronteerd worden met seksueel geweld.* [Corps violenté. Guide pastoral pour les communautés faisant face à la violence sexuelle.] Zoetermeer (Pays-Bas), Boekencentrum, p.40.
4.   MOLM, Linda D., *Coercive power in social exchange.* Cambridge (Royaume-Uni), University Press, 1997, p. 282.

qu'il la suit[5], le pouvoir d'une personne sur une autre est égal à la dépendance de la deuxième par rapport à la première. En ce qui concerne le pouvoir, on peut distinguer le pouvoir de récompense et le pouvoir de punition (ou coercitif), les positions structurales de pouvoir et l'usage stratégique du pouvoir, le pouvoir moyen au sein d'une relation et le déséquilibre du pouvoir entre les parties.

La notion que le pouvoir se fonde sur la dépendance et égale la dépendance a plusieurs conséquences[6]. Premièrement, le pouvoir est lié à une relation spécifique, non à des personnes. Il n'y a pas de personnes puissantes ou impuissantes de façon abstraite, mais seulement des relations dans lesquelles une personne a du pouvoir sur une autre. Deuxièmement, le pouvoir est un potentiel, lié à la position d'un acteur dans une structure de relations de dépendance. Le fait de savoir si ce pouvoir est exercé ou non est une autre question. Troisièmement, la quantité totale de pouvoir au sein d'une relation n'est pas fixe. L'augmentation du pouvoir d'un acteur n'implique pas la diminution du pouvoir de l'autre. Cette intuition est cruciale pour comprendre le concept d'appropriation de pouvoir (« empowerment »). Quatrièmement, deux personnes peuvent avoir des relations multiples avec des équilibres de pouvoir variés. Bien qu'on puisse calculer un déséquilibre général du pouvoir entre deux personnes, les déséquilibres réels du pouvoir entre celles-ci peuvent être beaucoup plus importants pour le processus des échanges.

Aux fins de notre analyse, nous nous tournerons vers un modèle inspiré par ces théories. Ce modèle intègre les dimensions structurale et stratégique du pouvoir en distinguant quatre éléments : la position de pouvoir, les moyens de pouvoir, l'exercice du pouvoir et les motifs du pouvoir. Leurs interrelations sont présentées dans la figure 1[7].

---

5.   « Through control over vital resources [...] a group (such as the state, or a person) creates dependency on itself ». Frank R. VIVELO, *Power and its consequences. A rational perspective.* Lanham (MD), University Press of America, 1998, p. 39.
6.   Les trois premières sont esquissées dans Linda D. MOLM , *Coercive power in social exchange.* Cambridge (Royaume-Uni), University Press, 1997, p. 30.
7.   Ce modèle a été conçu par le présent auteur, inspiré par KOOPMAN-A.M. IWEMA, *Macht, motivatie, medezeggenschap.* [Pouvoir, motivation, gestion conjointe.] Assen (Pays-Bas), Van Gorcum and comp., 1980 et autres, 569 p.

**Éléments structuraux et stratégiques
dans la dynamique du pouvoir**

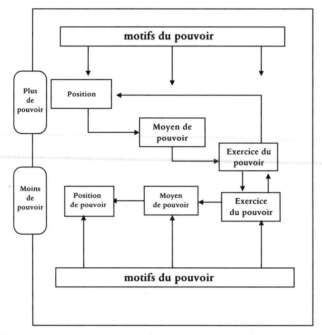

Nous décrirons ces éléments et leur apparition dans des situations de violence et de justice.

1.1 La position de pouvoir

La position de pouvoir renvoie à la dimension structurale. Chaque personne occupe une certaine position au sein des réseaux sociaux. Cette position est en partie déterminée par une série de facteurs démographiques tels la race, le sexe, la classe, l'âge, l'éducation, la profession et le revenu. En fonction de certaines normes (sous-)culturelles spécifiques, les déterminants qu'une personne possède en regard de chacun de ces facteurs diminuent ou augmentent sa position de pouvoir. Par exemple, dans de nombreux contextes culturels, le professeur d'université de sexe masculin et de race blanche jouit d'un grand avantage en termes de position de pouvoir par comparaison avec la femme de ménage noire.

En analysant les relations de pouvoir entre deux (ou plusieurs) personnes, nous devons prendre en considération l'éventail de relations plus large existant au sein des réseaux sociaux qui légitiment ou critiquent ces relations de pouvoir. Vivelo (1998, p.41) décrit l'autorité comme étant « the legitimation of power: the socially recognized "right" to exert control ». La position de pouvoir a donc un rapport avec le statut social. Au cours de notre siècle, nous pouvons discerner un changement marqué dans la nature du statut social[8]. Autrefois, le statut social était essentiellement attribué, accordé à une personne parce que celle-ci était née dans une position spécifique ou y avait été nommée. Ainsi, le pasteur, l'enseignant ou l'enseignante, le policier voyaient leur pouvoir légitimé, sans égard à leur performance ou à leurs mérites personnels. Aujourd'hui, le statut social est largement une conquête, basée sur ce que l'on a accompli. On doit obtenir le respect et la reconnaissance des autres, et gagner le droit d'exercer l'autorité. Ce changement a contribué à créer des relations de pouvoir plus dynamiques, comme nous avons essayé de l'inclure dans notre modèle. La position de pouvoir d'une personne par rapport à une autre n'est pas stable. Elle peut devenir plus forte ou plus faible, en fonction de facteurs extérieurs à cette relation de pouvoir et des résultats des échanges antérieurs. Cela peut influencer la quantité totale de pouvoir existant dans la relation ainsi que le déséquilibre entre les acteurs.

Dans les situations de violence, l'auteur de l'acte violent est, par définition, le plus puissant. Les personnes moins puissantes ou de puissance égale sont dépourvues de la capacité de déterminer des éléments du comportement de quelqu'un d'autre. Cependant, cet avantage en matière de pouvoir peut être partiel. On peut occuper une position de grand pouvoir et devenir une victime. La prise en otage de diplomates en est un exemple. Même dans ce cas, l'auteur de l'acte violent doit identifier ou créer une situation où il (ou elle) peut exercer un contrôle, et ce n'est que dans cette situation que le déséquilibre du pouvoir peut durer. Cet exemple montre que la description économique et politologique de l'autorité comme droit social reconnu, proposée par Vivelo, doit, jusqu'à un certain point, être adaptée lorsqu'elle est appliquée à des situations de violence interpersonnelle. La violence contredit la

---

8.   Ce changement a été décrit en termes d'« attribué » par opposition à « réalisé », ou d'« accordé » par opposition à « atteint ». Voir H.M. JOHNSON , *Sociology. A systematic introduction.* New York, Harcourt, 1960 ; SARBIN T.R. et K.E. SCHEIBE, 1983. « A model of social identity » dans Sarbin, T.R. et K.E. Scheibe (éd.), *Studies in social identity,* New York, 1983, 400 p.

reconnaissance sociale. C'est précisément à cause du manque de reconnaissance sociale qu'un acte est appelé « violence ». Cependant, l'abus de pouvoir dans la violence est profondément ancré dans nos systèmes sociaux. Poling (1996, p. 8), à la suite d'autres auteurs, affirme : « The matrix of domination is a system of attitudes, behaviors and assumptions that objectifies human persons on the basis of socially constructed categories such as race, gender, class, etc., and that has the power to deny autonomy, access to resources and self-determination to those persons, while maintaining the values of the dominant society as the norm by which all else will be measured ».

Bien souvent, en particulier dans la violence domestique et sexuelle, les positions de pouvoir sont effectivement justifiées par la société; ce qui rend difficile pour les victimes d'être reconnues comme victimes de violence. Pour l'observateur, désigner la personne la plus puissante comme «auteur d'un acte violent» et ses actes comme «violence» signifierait répudier la reconnaissance auparavant accordée à cette personne et, par conséquent, reconnaître sa propre complicité dans la création de l'ordre social qui a facilité ces actes[9]. Étant donné le fait que la plupart des auteurs d'actes violents sont connus de la victime et ont sa confiance, nous pouvons présumer que tendances attribuées et tendances réalisées contribuent toutes deux à perpétuer les positions de pouvoir.

1.2 *Les moyens de pouvoir*

Dans les situations de violence sexuelle, on rencontre souvent une combinaison de moyens de pouvoir. Ce n'est que dans une minorité de cas que nous trouvons un seul moyen à la base d'un avantage en matière de pouvoir. Le cas classique et effrayant du viol imprévisible dans la forêt par un étranger est un exemple où seuls des moyens de pouvoir physiques sont utilisés. Cependant, il est probable que plus de 80 % des cas de violence sexuelle se produisent dans le contexte de relations existantes, où l'auteur de l'acte violent dispose d'une variété de moyens de pouvoir. Les cas de violence sexuelle commise par le clergé en sont un bon exemple. Les pasteurs et les prêtres n'ont peut-être pas la même position de pouvoir qu'autrefois, mais ils bénéficient tout de même d'un avantage évident en matière de pouvoir par rapport aux victimes poten-

---

9.   C.E. GUDORF, *Victimization. Examining Christian complicity*. Philadelphia, Trinity Press, 1992, 124 p.

tielles. On trouve une utilisation typique des moyens de pouvoir par les membres du clergé dans leurs capacités verbales et relationnelles, notamment par comparaison avec des paroissiens et paroissiennes vulnérables[10]. De plus, ils « contrôlent » les ressources religieuses, soit symboliquement — par exemple, leur droit de proclamer la parole de Dieu et de donner l'absolution — soit littéralement — par exemple, leur droit d'administrer la communion. Les possibilités qu'a le clergé d'influencer le contexte social et le système ecclésial officiel dépassent de beaucoup celles de la victime potentielle.

Les moyens de pouvoir sont dérivés en partie de la position de pouvoir qu'occupe une personne et en partie de ses capacités, telle la prépondérance physique ou verbale. Ces capacités comprennent l'aptitude à récompenser et à punir, ou, de façon plus générale, le contrôle des ressources que l'autre considère comme désirables. Ces ressources peuvent être matérielles, émotionnelles, sociales et ainsi de suite. Les moyens de pouvoir sont alors le complément des dépendances de la personne ayant moins de pouvoir. Une personne devient plus puissante au sein d'une relation dans la mesure où l'autre dépend d'elle pour accéder à ces ressources. On peut distinguer deux mécanismes visant à diminuer ce déséquilibre du pouvoir : l'un est la réduction de la dépendance envers ces ressources chez la personne ayant moins de pouvoir ; l'autre est la réduction du contrôle exercé par la personne ayant plus de pouvoir.

Nous avons affirmé que les moins puissants avaient aussi des moyens de pouvoir à leur disposition. L'un des plus importants est peut-être la possibilité de révéler le comportement de l'agresseur. Un autre est le fait que l'agresseur dépend de sa victime pour assouvir ses besoins (par exemple, l'intimité ou le contact sexuel). Nous avons noté que cette dépendance équivaut à un pouvoir du côté de la victime. Même si le pouvoir de l'agresseur dépasse de beaucoup le sien, la victime a en théorie le pouvoir de le priver de ressources qu'il considère comme désirables. Mais souvent, la victime n'est pas en position d'utiliser ces moyens de pouvoir parce qu'elle dépend de l'agresseur pour d'autres ressources.

---

10.   Carrie DOEHRING, *Taking care. Monitoring power dynamics and relational boundaries in pastoral care and counseling.* Nashville, Abingdon, 1995, 192 p.

1.3 L'exercice du pouvoir

L'exercice du pouvoir est l'usage réel de la position et des moyens de pouvoir dans des transactions spécifiques. Alors que la position et les moyens sont des éléments structuraux de la relation de pouvoir, l'exercice du pouvoir en est un élément stratégique. On peut rencontrer aussi bien des formes subtiles que des formes flagrantes, de l'exercice du pouvoir. La violence physique et la menace sont des exemples de formes flagrantes, alors que la manipulation et le charme sont des exemples de formes subtiles. Un agresseur va souvent utiliser les deux formes en alternance, récompensant et punissant la victime (visée) de manière apparemment aléatoire[11]. Ce caractère aléatoire menace la compréhension et le contrôle de la situation chez la victime (visée) et augmente sa dépendance. L'exercice du pouvoir comme élément stratégique a été analysé en termes de stratagèmes pour l'auteur de l'acte violent[12]. Dans les cas de violence sexuelle, ceux-ci consistent souvent en une planification à long terme, une mise en balance interne des désirs, des risques et des obstacles, la création d'une relation de dépendance, l'isolation de la victime visée par rapport à son réseau social et à ses ressources, une redéfinition de la relation et des actes sexuels possibles, etc.

Du côté de la victime (visée), l'exercice du pouvoir peut être appelé résistance. En fait, selon James Poling (1996, xiv), le mal et la résistance devraient être compris de façon dialectique. L'un ne peut être identifié que par rapport à l'autre. Poling définit le mal comme étant « the abuse of power in personal, social, and religious forms that destroys bodies and spirits. Evil is an abuse of power because the power of life comes from God, and all power should be used for good. Whenever power is used to destroy the bodies and spirits of God's creation, there is evil ». Il décrit la résistance au mal comme étant « a form of liberated and critical consciousness that enables persons or groups to stand against evil in silence, language and action ».

Le résultat d'un exercice stratégique du pouvoir est de renforcer ou d'ébranler les positions de pouvoir des personnes impliquées.

---

11. Judith L. HERMAN, *Trauma and recovery*. New York, Basic Books, 1992, 290 p.
12. J.C. BORST, *Gij zijt die man. Een onderzoek naar de pastorale zorg voor incestdaders*. [Tu es cet homme. Enquête sur les soins pastoraux pour auteurs d'inceste.] Leiden (Pays-Bas), Groen, 1995, p. 79-82.

L'exercice effectif du pouvoir dans une relation contribue à créer une position plus forte. En outre, le fait de montrer qu'on est capable d'employer les moyens de pouvoir à sa disposition, et qu'on est prêt à le faire, influence la relation de pouvoir. Quand des échanges de pouvoir antérieurs ont été efficaces pour une personne donnée, l'exercice réel des moyens de pouvoir devient moins nécessaire parce que l'autre sera convaincu que ce potentiel de pouvoir existe.

Dans notre modèle, les éléments stratégiques et structuraux s'influencent mutuellement. La structure de pouvoir née de la position et des moyens fournit les conditions pour l'exercice stratégique du pouvoir, tandis que celui-ci influence les positions et les moyens de pouvoir qui forment le point de départ des échanges futurs. Le stratagème de l'auteur de l'acte violent, tel que mentionné précédemment, consiste en un certain nombre de ces échanges, chacun d'eux visant à renforcer sa position et à affaiblir la position de la victime visée. Le but de l'auteur de l'acte violent est de saper le réseau social et les ressources de l'autre et d'accentuer sa dépendance. Souvent, la confiance de la victime en son propre jugement est constamment invalidée par l'agresseur. Cela veut dire que la victime devient encore plus dépendante, non seulement envers la récompense et la punition, mais même pour ce qui est de définir ce qui peut être compris comme une récompense ou une punition.

1.4 Les motifs du pouvoir

On peut comprendre les motifs du pouvoir comme étant les forces directrices qui sous-tendent les positions, les moyens et l'exercice du pouvoir. Sans ces motifs, ni les éléments structuraux ni les éléments stratégiques ne seront employés dans les échanges sociaux. On peut distinguer plusieurs motifs de pouvoir. Premièrement, le pouvoir peut être un moyen en vue d'une fin : l'acquisition de ressources considérées comme désirables. Dans les cas de violence sexuelle, le pouvoir peut être utilisé pour obtenir la satisfaction sexuelle. Dans d'autres cas, il peut servir à acquérir biens matériels, statut ou quelque chose d'autre. La victime (visée) peut recourir à des moyens de pouvoir et à l'exercice du pouvoir pour se protéger contre les menaces qu'elle perçoit. Les spectateurs, qu'ils jouent le rôle de protecteur ou de juge, peuvent utiliser le pouvoir pour pratiquer la justice. Évidemment, ces processus ressemblent à ceux de la vie économique, d'où les théories de l'échange social tirent leur origine.

Deuxièmement, le pouvoir peut être un but en soi. Plus précisément : il peut n'avoir aucun autre but *à l'intérieur de cette relation*. Habituellement, ce genre de motif de pouvoir est déterminé par le besoin que l'on ressent de compenser quelque chose qui manque dans d'autres relations. Certaines personnes exercent du pouvoir dans une relation afin de neutraliser les expériences d'impuissance vécues dans d'autres relations. Il peut sembler, alors, que l'excédent de pouvoir exercé dans une relation rétablit une position de pouvoir subjective qui était menacée dans une autre relation. Cette vision homéostatique apparaît pertinente afin d'expliquer de manière partielle pourquoi certaines victimes deviennent des auteurs d'actes violents.

On peut cependant identifier un troisième genre de motifs de pouvoir qui — si on l'accepte comme valide — suggère une interprétation légèrement différente. L'exercice du pouvoir peut être exigé ou du moins validé par l'environnement social. On pourrait décrire les deux premiers types de motifs comme des forces psychologiques, lesquelles contribuent, plus ou moins rationnellement, aux aspirations de l'individu. Ce troisième type de motifs de pouvoir attire notre attention sur l'origine socio-écologique de ces motifs[13]. Nous pouvons nous demander pourquoi certains motifs spécifiques sont considérés comme acceptables dans certains contextes culturels? Le besoin de compenser des expériences d'impuissance n'est pas universel. En fait, si nous incluons le genre dans notre analyse, nous pouvons découvrir que ce motif de compensation est beaucoup plus présent chez les hommes que chez les femmes. Pour dire les choses crûment, les expériences d'impuissance peuvent être, pour les femmes, une affirmation radicale des messages culturels concernant leur genre et, pour les hommes, un renoncement tout aussi radical aux messages culturels concernant le leur. Si cela est vrai, on peut s'attendre à ce qu'un motif de pouvoir basé sur la compensation soit socialement et culturellement validé pour les hommes, mais non pour les femmes[14].

---

13.   Frank R. VIVELO, *Power and its consequences. A rational perspective.* Lanham (MD), University Press of America, 1998, p.70.
14.   Comparer avec Ian M. HARRIS, *Messages men hear. Constructing masculinities.* Bristol (PA), Taylor & Francis, 1995, 214 p.

2. Pouvoir, violence et justice

Dans notre description des éléments d'échanges de pouvoir, nous avons utilisé à plusieurs reprises les situations de violence (sexuelle) pour illustrer les composantes abstraites de la théorie. Nous allons maintenant essayer de montrer comment cette théorie peut servir à identifier des situations de violence et aider à déterminer en quoi consistent des actions justes. Évidemment, cela présuppose une position normative, fondée sur le principe qu'il est mal d'utiliser le pouvoir au détriment des autres.

Si ce principe est accepté, nous pouvons demander comment la théorie esquissée plus haut identifie ce en quoi consiste l'utilisation du pouvoir au détriment des autres et comment il est possible de pratiquer la justice. Ces questions se posent avec acuité lorsque nous faisons face, par exemple, à un cas de violence (ou d'allégation de violence) sexuelle. Nous pouvons alors, premièrement, chercher à comprendre la relation particulière existant entre l'agresseur (présumé) et la victime supposée. On peut répertorier leurs positions et leurs moyens de pouvoir respectifs ainsi que les signaux indiquant l'exercice et les motifs du pouvoir. Dans certains cas, l'exercice du pouvoir sera très visible et la position de pouvoir ambiguë. Dans d'autres cas, on pourra retrouver des positions de pouvoir bien articulées en même temps qu'un exercice du pouvoir presque imperceptible.

Deuxièmement, faisant suite à cette analyse, nous nous attardons à nouveau au récit de la victime (supposée). La question est maintenant de savoir si l'échange de pouvoir a renforcé ou affaibli la position de pouvoir qui est la sienne. Dans notre théorie, nous avons relié cette position de pouvoir au contrôle de ressources considérées comme désirables ou à l'accès à ces ressources. Si l'échange de pouvoir a eu pour résultat une diminution du contrôle ou de l'accès, on peut définir cet échange comme étant «au détriment des autres». Cette seconde étape est essentielle, car en soi, pouvoir n'égale pas mal ou violence. Nous avons aussi noté que la quantité totale de pouvoir dans une relation n'est pas fixe. Une augmentation du pouvoir de l'un des acteurs n'implique pas une diminution du pouvoir de l'autre. On peut alors se demander si le pouvoir est utilisé sur les autres, avec les autres, ou pour les autres. On peut trouver la première façon de faire dans les structures hiérarchiques et violentes, la deuxième dans les réseaux communautaires et la troisième dans les processus de justice et d'appropriation de pouvoir.

Troisièmement, nous pouvons nous demander quelles actions peuvent servir la justice. Afin d'évaluer les actions possibles ainsi que leurs conséquences, nous devrons examiner les positions, les moyens et l'exercice du pouvoir des personnes impliquées, tout en prenant en considération leurs motifs de pouvoir. Une analyse minutieuse de la situation peut mener à intervenir sur les positions de pouvoir, à offrir d'autres moyens de pouvoir, et ainsi de suite. Cependant, il est important de noter que la personne ou l'institution qui intervient dans la situation entre dans des relations de pouvoir aussi bien avec la victime qu'avec l'auteur de l'acte violent. Par conséquent, l'analyse doit inclure la position et les moyens de pouvoir de l'intervenant, les motifs de son pouvoir et la façon dont il exerce celui-ci en relation avec les deux parties.

L'effet de cette intervention peut même être contre-productif. On trouve des exemples de cela à tous les niveaux de pouvoir et de conflit. Les attaques de l'OTAN contre des cibles serbes en vue de forcer Milosevic à adopter une attitude plus démocratique ont conduit à une augmentation de ses actions de suppression. De même, des pasteurs peuvent faire face à des auteurs présumés d'actes de violence sexuelle domestique, et cela avec les motifs les plus nobles, et découvrir plus tard que leur action a eu pour résultat d'intensifier leurs menaces ou leur violence. Une façon de comprendre ce phénomène se trouve dans l'analyse des diverses relations de pouvoir qui sont à l'œuvre. L'intervenant possédant une position de pouvoir plus élevée, des moyens de pouvoir désirables et des motifs honorables, exerce un pouvoir dirigé vers un agresseur. Cela peut renforcer les motifs de pouvoir de l'agresseur tout en menaçant sa position de pouvoir. Afin de résoudre cette tension, l'agresseur peut essayer de protéger sa position par un exercice du pouvoir persistant et intensifié. Les victimes de cet agresseur sont alors punies pour avoir brisé le silence et demandé de l'aide, ou utilisées comme des objets pour manipuler l'intervenant.

La relation entre l'intervenant et la victime est encore compliquée, par d'autres facteurs. Même dans les cas d'intervention efficace, le message communiqué à la victime en est un de pouvoirs extérieurs. L'agresseur et l'intervenant agissent tous les deux à l'égard de la victime à partir d'une position de pouvoir élevée, avec des moyens de pouvoir étendus et un exercice du pouvoir efficace. Évidemment, leurs motifs et l'effet réalisé peuvent différer, mais de nombreuses interventions ont pour résultat non de restaurer mais de handicaper davantage les potentiels de pouvoir de la victime. C'est ici que la notion d'appropriation ou de renforcement de pouvoir (empowerment) devient cruciale.

On peut décrire le renforcement de pouvoir comme les processus par lesquels des personnes moins puissantes sont encouragées à renforcer leur position de pouvoir, à developper des moyens de pouvoir et à accroître leur exercice efficace du pouvoir, en fonction de motifs de pouvoir liés à l'autonomie, à la solidarité et à la justice. Les stratégies d'appropriation de pouvoir visent à fournir ce qui est requis afin que des personnes moins puissantes deviennent à même d'écarter ce qui les menace. Plutôt que d'attaquer l'agresseur, les pratiques de renforcement de pouvoir cherchent à soutenir et à fortifier la victime. On peut distinguer trois niveaux de résultats produits par l'appropriation de pouvoir. Le premier est celui de la survie. Quand rien d'autre n'est faisable, ce niveau est justifié en ce qu'il évite l'annihilation des capacités de la victime[15]. Le deuxième niveau est celui du changement intérieur. Quand la situation extérieure ne peut pas (encore) être modifiée, la victime peut en arriver à un état de conscience modifié, libéré des messages insidieux de l'agresseur[16]. Le troisième niveau est celui de la révolution, où la situation extérieure et les structures de pouvoir qui l'accompagnent sont elles-mêmes changées[17]. Ces niveaux sont intrinsèquement reliés[18]. Évidemment, on doit si possible viser les niveaux supérieurs. Cependant, si on ne porte pas attention à la survie et au changement intérieur, la révolution non seulement échouera, mais elle pourra même nuire encore davantage à la victime. Les victimes de violence sexuelle qui se sentent obligées de porter des accusations et souffrent énormément au cours de la procédure judiciaire en sont un exemple.

---

15.   James N. POLING, *Deliver us from evil. Resisting racial and gender oppression.* Minneapolis, Fortress Press, 1996, p.105.
16.   HILL COLLINS, 1990, p. 91-114 ; James N. POLING, , 1996, p.106-107.
17.   HILL COLLINS, 1990, p. 113.
18.   Dans une autre discussion, Liz KELLY, Sheila BURTON et Linda REGAN, « Beyond victim or survivor. Sexual violence, identity and feminist theory and practice » dans Adkins, Lisa et Vicky Merchant (éd.), *Sexualizing the social. Power and the organization of sexuality.* London, MacMillan, 1996, p. 77-101, rejettent la dichotomie ou l'ordre chronologique des identités de « victime » et de « survivant » et montrent comment les deux concepts ont des aspects significatifs et problématiques.

3. Pouvoir, religion et théologie

La religion peut jouer un rôle important dans le réseau des relations de pouvoir. En fait, chaque aspect mentionné plus haut peut être appliqué au domaine religieux. Nous avons déjà noté le contrôle exercé sur les ressources religieuses dans les cas de violence sexuelle perpétrée par des membres du clergé. Nous pourrions aussi attirer l'attention sur la légitimation religieuse des positions de pouvoir, qui s'effectue par exemple grâce à un message d'obéissance qui crée chez les victimes et les spectateurs une loyauté les empêchant de résister.

Il apparaît utile de s'attarder à la relation de pouvoir entre Dieu et les humains ainsi qu'à l'interaction entre cette relation de pouvoir et d'autres relations. Dans la grille relationnelle des individus humains et des groupes, des « autres » réels aussi bien qu'imaginaires interagissent et sont mis en place par un tissu complexe de relations. Comme le note Ricoeur (1995, p. 262) : « The self is constituted and defined by its position as respondent to propositions of meaning issuing from the symbolic network ». Dans ce réseau relationnel et symbolique, Dieu opère et est perçu comme un participant, comparable aux autres participants[19]. Une différence importante est peut-être le fait que, d'un point de vue scientifique, les actions divines s'effectuent par l'intermédiaire d'actions, de textes et de rituels humains.

3.1 Les relations de pouvoir entre Dieu et l'être humain

Notre but sera maintenant d'examiner la relation de pouvoir entre Dieu et l'être humain dans des situations de violence et de justice. Évidemment, nous ne pourrons fournir une analyse d'ensemble de la question. À cause des particularités que présente toute relation de pouvoir, des analyses spécifiques sont requises pour chaque individu religieux et chaque communauté religieuse. En un sens, Dieu est différent pour chaque personne et la relation de pouvoir entre une per-

---

19.　Cette approche de la question de Dieu évite les discussions ontologiques et permet d'examiner les relations entre Dieu et les humains en se fondant sur la théologie et les sciences sociales. Voir par exemple : Hjalmar SUNDÉN, *Die Religion und die Rollen*, Berlin, Töpelmann, 1996 et Melvin POLLNER, « Divines relations, social relations and well-being », *Journal of Health and Social Behavior* 30, p. 92-104

sonne et Dieu dépendra de la position, des moyens, de l'exercice et des motifs du pouvoir humain, ainsi que de la perception de la position, des moyens de pouvoir, de l'exercice et des motifs du pouvoir divin. On peut toutefois formuler certaines remarques globales, fondées sur le modèle esquissé plus haut, tout en invitant les lecteurs à considérer les aspects spécifiques de leur propre relation de pouvoir avec Dieu ainsi que de celle des autres avec Dieu.

Nos remarques globales ont pour point de départ la vie religieuse des victimes de violence sexuelle. Pour un grand nombre d'entre elles, Dieu leur a été présenté par l'intermédiaire d'un cadre narratif religieux de souveraineté, de jugement et d'action autonome. On ne peut rendre sa divinité transcendante dépendante des êtres humains, et même s'Il[20] répond à la prière, Il a toujours la liberté de choisir s'Il se laisse déterminer par les humains[21]. Dieu — tel que ces personnes en sont venues à Le connaître — est dans une position de pouvoir absolu. Cela veut dire que dans la relation de pouvoir entre Dieu et les humains, ces derniers sont dans une position de dépendance et d'impuissance absolues.

De la même façon, les moyens de pouvoir de Dieu sont illimités. Si le pouvoir est effectivement compris comme la capacité de déterminer des éléments du comportement de quelqu'un d'autre, y compris la cognition et les émotions, alors Dieu a à sa disposition des moyens de pouvoir infinis. Non seulement contrôle-t-Il toutes les ressources que l'individu religieux considère comme désirables — l'intimité, le confort, les récompenses éternelles et ainsi de suite — mais Il détermine aussi notre cœur et notre âme par l'œuvre de l'Esprit Saint qui habite en nous. Dans les théologies réformées radicalisées, cela a mené à une vision élaborée de la prédestination dans laquelle toute contribution humaine à la relation avec Dieu est niée ou réinterprétée comme étant l'œuvre de Dieu. Puisque Dieu jouit d'une position et de moyens de pouvoir illimités, l'exercice du pouvoir devient unidirectionnel. La contribution de l'individu humain est réduite à pratiquement rien, et la résistance à Dieu est passible de condamnation.

---

20. Dans cette ligne de pensée, Dieu est habituellement perçu comme masculin.
21. Voir une discussion sur ce point dans Kathryne E. TANNER, *God and creation in Christian theology. Tyranny or empowerment.* Oxford (Royaume-Uni), Basil Blackwell, 1998. p.96 et suiv.

Aussi négatif et caricatural que peut sembler ce portrait, il s'agit probablement de la relation de pouvoir Dieu — être humain dominante dans de nombreuses confessions chrétiennes. Elle apparaît comme la principale image de Dieu à laquelle les victimes de violence et leurs défenseurs font référence dans le contexte de leur résistance. Une autre image importante se trouve dans la souffrance du Christ. Alors que le Dieu tout-puissant n'est pas un objet d'identification, mais renforce plutôt l'impuissance, le Christ souffre parce qu'Il se substitue aux humains dans la rédemption. Cependant, cela implique souvent une glorification de la souffrance et de l'état de victime)[22].

3.2 Dieu, la justice et l'appropriation de pouvoir

Les messages dominants concernant Dieu et sa relation de pouvoir avec les humains sont donc discutables quand il s'agit de leur impact sur les personnes victimisées. Ces messages peuvent même renforcer les sens et les effets de la violence. La violence aussi bien que les messages dominants sur Dieu sapent les positions et les moyens de pouvoir des victimes ainsi que leur exercice du pouvoir. Tous deux forcent la victime à se diriger vers la capitulation et la loyauté. Cela dit, nous devons souligner clairement que dans la Bible et dans la plupart des traditions chrétiennes, on trouve de fortes tendances caractérisées par une résistance à la violence et une volonté d'instaurer la justice. Pour cette raison, certains ont affirmé catégoriquement que le problème n'est pas causé par le message chrétien infaillible, mais par des gens faillibles et, en fait, pécheurs qui se servent du message de manière abusive. Même vrai, cet argument soutient la relation de pouvoir problématique Dieu — être humain décrite précédemment. En essayant de défendre le message (et Dieu), on blâme les humains.

Comme dans le cas d'une intervention humaine, il nous faut une analyse plus profonde de la façon dont les messages portant sur le pouvoir de Dieu interagissent avec les relations de pouvoir entre

---

22. Joanne CARLSON BROWN, et Rebecca PARKER, « For God so loved the world? » dans Adams, Carol J. et Marie M. Fortune (éd.), *Violence against women and children. A Christian theological sourcebook.* New York, Continuum, 1995, p. 36-5

agresseur et victime. Cette analyse devrait comprendre le fait que les textes religieux sont vulnérables à une manipulation ayant pour effet que les victimes ne peuvent recourir aux éléments religieux potentiellement libérateurs. Le lien entre pouvoir divin et justice divine en est un bon exemple. S'attendre à ce que Dieu fasse justice peut avoir du sens pour les personnes souffrant d'injustice et de violence. Cependant, cette attente est souvent traduite en termes de péché et de pardon ou d'absolution. Dans le catholicisme et le protestantisme traditionnels, le péché et le pardon sont tous deux compris comme étant surtout à l'œuvre dans la relation entre Dieu et le pécheur. La victime de ces péchés devient presque invisible. Cela a pour effet la rédemption de l'agresseur et l'annihilation de la victime.

Parallèlement aux efforts visant à réorganiser nos systèmes juridiques en termes de justice réparatrice[23], en mettant l'accent sur des actes réparateurs à l'égard de la victime plutôt que de l'État, une réinterprétation des sources bibliques et religieuses est nécessaire. Nous avons besoin d'une compréhension de la justice et du pouvoir de Dieu qui soit source de réappropriation du pouvoir (empowering). Les théologies de la libération ayant pour base le féminisme, la conscience noire et les communautés gaies et lesbiennes peuvent contribuer à cette compréhension. Il est également possible d'y trouver de nombreux récits libérateurs, allant du récit de l'Exode aux prophètes s'adressant aux puissants, en passant par les actes d'exorcisme de Jésus.

Le concept de renforcement de pouvoir par l'action de Dieu (*empowerment by God)* doit atténuer la juxtaposition de Dieu et des humains. Au lieu d'une théologie implicite qui enseigne que le pouvoir souverain de Dieu ne permet pas la dépendance ou le pouvoir humain, il nous faut des théologies de pouvoir fondé sur la collaboration, où Dieu exerce son pouvoir de manière à faciliter le pouvoir humain, en particulier chez les moins puissants[24]. La notion d'appropriation de pouvoir inclut le postulat moral que le pouvoir destructeur est mauvais.

---

23.   Virginia MACKEY, *Restorative justice. Toward nonviolence*. Louisville (KY), Presbyterian Criminal Justice Program, 1997, 87 p.
24.   Ce concept de pouvoir est davantage féminin. Voir HAMPSON, D., « On power and gender », dans A. Thatcher, et E. Stuart (éd.) *Christian perspectives on sexuality and gender*, Grand Rapids, Eerdmans, 1996, 478 p.

Pour pratiquer la justice, nous devons donc donner une priorité herméneutique et morale aux personnes qui sont devenues victimes[25]. La première tâche des théologiens à cet égard est de rendre les autres plus conscients des effets, sur les relations de pouvoir entre les humains, de leur raisonnement abstrait quant au pouvoir de Dieu. La deuxième tâche est d'aider la communauté chrétienne à construire et à reconstruire des images et des messages de Dieu qui soient source d'autonomie et de pouvoir, rendant possible pour les victimes aussi bien que pour les agresseurs de vivre une relation salutaire avec Dieu, c'est-à-dire juste, libre et véritablement humaine.

RÉSUMÉ

Cet article présente un modèle psychosocial dynamique des relations de pouvoir, à partir d'éléments structuraux et stratégiques. Ces éléments structuraux consistent en des positions et des moyens de pouvoir. Quant aux éléments stratégiques, ils sont de l'ordre de l'exercice et des motifs du pouvoir. Ce sont ces éléments qui constituent la dynamique des échanges de pouvoir dans une relation entre des personnes considérées dans le contexte social général. Le modèle permet de comprendre la relation de pouvoir dans des situations de violence, dans un contexte d'intervention, et dans le jeu des relations de pouvoir avec dieu. La justice et l'« empowerment » servent ici d'instances critiques et normatives dans une recherche d'approches religieuses et théologiques plus salutaires par rapport au pouvoir et à l'intervention.

ABSTRACT

This paper presents a dynamic psycho-social model of power relations, consisting of structural and strategic elements. Structural elements of power relations are power position and power means. Strategic elements are power execution and power motives. These elements constitute dynamically the power transaction in a relation between persons, connected to the wider social network. The model assists in understanding power relations in situations of violence, effects of intervention, and the interaction to power relations with God. Justice and empowerment serve as critical and normative notions in search of more salutary religious and theological approaches to power and intervention.

25.   James N., POLING, *Deliver us from evil. Resisting racial and gender oppression.* Minneapolis, Fortress Press, 1996, p.103.

Théologiques 8/2 (2000) 33-34

Psalm of Anger to a Patriarchal god*

Sheila A. REDMOND

God:

You abandoned me
You made promises you couldn't keep
You were supposed to be all powerful, all knowing –
And more than that
You were supposed to love me and take care of me
Just like you took care of the lillies and the sparrows.

You let me down, you lied to me and I was good,
And I loved you and I got saved and
You were supposed to make everything better!
The pain and the hurt and the guilt were supposed to go away.
But they didn't.

And I tried and I cried and I looked for you and what did I find

You demanded a man kill his own son to prove his faithfulness.
You destroyed a man on a bet and didn't even have the
decency to tell him why
You just terrified him into submission.
You even killed your own child!

Don't tell me you couldn't have done things differently.
You seem to delight in putting your children through hell –
Hell is for children!
The best you can do is tell me I need to be forgiven –
FOR WHAT!

---

* Sheila A. REDMOND, «Confrontation Between the Christian God and an Abused Child: Twenty-Five Years Later», dans Church Council on Justice and Corrections; Canadian Council on Social Development, *Family violence in a Patriarchal Society: A Challenge to the Church*, Ottawa, 1987.

I didn't ask to be born in original sin.
I didn't ask to be raped and beaten and destroyed:
I trusted you and I believed in you.
When the going got rough, you abandoned me!
I didn't leave you, you left me.

I would rather spend eternity in hell than spend it with you,
You god of Abraham, Isaac, Jacob, Moses, Jesus, Peter and Paul.
I don't need forgiveness, you do!
And I will never, never repent..
You owe me my life back and you can't even admit you were wrong.

You are a god who asks too much.
I am buying my soul back. I can never trust you again.
That would be like a battered woman going back to her husband
Or a beaten child needing the love and approval of the parent
who committed the crimes.

You want us to come to you as children.
No wonder!
Only a child would be naive enough to fall for your lies and stupid promises.
I may forgive you, you pitiful god of my childhood
But I will never forget how you abandoned me.
And I will never allow myself to be destroyed by you or you creations
Again!
Where were You when I needed You?

Théologiques 8/2 (2000) 35-48

Le Dieu des possibilités : l'immanence et la transcendance repensées

Rosemary R. RUETHER[*]

Le Psaume de la femme abusée est le puissant cri de rage d'une femme qui demande : « Où étais-tu, Dieu, lorsque cela m'arrivait? » C'est la clameur de celle à qui on a appris que Dieu doit essentiellement être perçu comme une figure d'autorité mâle qui est en contrôle de tout ce qui se passe et qui juge les femmes comme étant celles qui ont introduit le péché dans le monde en désobéissant à Dieu. Dans la théologie chrétienne classique, les femmes ont été créées subordonnées à l'autorité masculine depuis le commencement, mais les femmes sont devenues rebelles, causant ainsi la chute de l'humanité dans le péché et la mort. Dieu a donc rétabli l'ordre social en mettant les femmes dans une position d'assujettissement coercitif par rapport à l'homme.

Les femmes seront sauvées en se soumettant à l'autorité masculine, même si celle-ci est injuste et violente. En souffrant ainsi plutôt que de résister à l'autorité de l'homme, les femmes seront sauvées. Cette théorie, développée par saint Augustin et reprise dans la tradition chrétienne classique par des théologiens dominants tels que Calvin au 16ᵉ siècle, justifiait en fait la violence contre les femmes. Lorsqu'une femme est battue, plutôt que de remettre en question l'autorité de l'homme, elle doit d'abord se demander ce qu'elle a fait

* Rosemary Radford Ruether est une théologienne éco-féministe catholique. Elle est professeure Georgia Harkness de théologie appliquée au Garrett-Evangelical Theological Seminary et membre du corps professoral des cycles supérieurs de Northwestern University à Evanston, Illinois, USA. Elle est auteure ou éditrice de trente-cinq livres et de nombreux articles portant sur les relations entre la théologie, le féminisme, l'écologie et la justice sociale.

de mal et qui justifierait une telle violence. Ce Psaume est, implicitement, une remise en question de ce concept de Dieu.

Un tel concept de Dieu devrait, en effet, être repoussé et rejeté; et
pourtant, je me sens moi-même un peu loin de cette protestation, car
ce concept ne m'a jamais vraiment été présenté lorsque j'étais enfant.
Je ne suis pas sûre de ce qu'était exactement ma vision de Dieu pendant mon enfance, mais je n'ai jamais eu l'idée que Dieu était
quelqu'un qui justifierait la violence dirigée contre moi, ou même une
limitation de mes possibilités en tant que femme. Peut-être est-ce
grâce à ma mère, qui m'a toujours donné l'impression que j'étais une
personne spéciale, aimée de Dieu et que je pouvais faire tout ce que je
désirais afin de développer toutes mes possibilités.

Toutefois, il y avait un certain présupposé que Dieu était une sorte
d'« intelligence » (*mind*) mâle désincarnée qui existait en dehors de la
création dans un « espace » hors du cosmos. Lorsque j'avais à peu
près 18 ans, j'ai commencé à remettre sérieusement en question l'existence d'un tel Dieu. Ce Dieu distant et en dehors de la réalité n'avait
aucun sens pour moi. Je ne pouvais pas ressentir l'expérience d'un tel
Dieu, et j'ai donc commencé à remettre en question son existence.
Mon propre sens de Dieu ressemblait plutôt au « fondement de
l'Être », bien que je ne connusse pas ce langage. Je crois qu'il s'agit là
de la compréhension instinctive de Dieu vers laquelle tendent particulièrement les féministes. Pour moi, cela concordait avec mon
expérience de ma mère et de ses amies comme des femmes judicieu-
ses qui soutenaient mon plein potentiel en tant que petite fille. Cette
compréhension de Dieu a récemment été attaquée par des théologiens chrétiens traditionnels comme étant « immanentiste » et donc
« hérétique ».

Qu'est-ce qui est en jeu dans ce débat entre théologies féministes
et traditionnelles concernant la relation entre l'immanence et la transcendance de Dieu? Les théologiennes féministes sont souvent perçues
et se perçoivent elles-mêmes comme revendiquant une compréhension
immanente de Dieu. Même si elles déclarent que leur compréhension
de Dieu est à la fois transcendante et immanente, les personnes qui,
dans l'Église, s'opposent à la théologie féministe affirment fréquem-
ment que leur vision de Dieu est en fait uniquement immanente ou
même « panthéiste », et qu'il lui manque la transcendance essentielle
à l'authentique vision biblique de Dieu. On présuppose ici que les

compréhensions immanentes de Dieu sont fausses, « païennes », et cela prouve que la théologie féministe est hérétique.

Cet ensemble de présuppositions a été exprimé lors d'une rencontre fortuite qui a eu lieu récemment entre une amie théologienne féministe et l'archevêque local lors d'une réception (je ne mentionnerai pas leurs noms). La femme lui a été présentée comme une théologienne féministe de premier plan, enseignant dans une université catholique de l'endroit. L'archevêque a reculé d'un pas et a déclaré : « La théologie féministe, c'est de l'immanentisme et l'immanentisme a été condamné comme hérésie. » Fin de la conversation! En supposant que l'archevêque eût été ouvert à la discussion, comment aurait-on pu analyser ses présupposés et commencer à ouvrir d'autres possibilités pour réfléchir à la relation entre l'immanence et la transcendance de Dieu?

L'autre facette de ce débat se déroule parfois entre les féministes chrétiennes et les éco-féministes et « théalogiennes » post-chrétiennes. Celles qui s'intéressent à l'éco-féminisme affirment souvent que toute idée de transcendance est fausse. Les visions transcendantales de Dieu sont intrinsèquement patriarcales, aliénantes et coercitives. Une vision transcendantale de Dieu signifie un Dieu hors du monde et qui le gouverne d'en haut, et non un Dieu présent dans le monde et par celui-ci. La transcendance est la projection sur Dieu des schémas sociaux d'oppression des femmes, des pauvres et de la terre.

Ces penseures féministes présupposent que si nous devons recouvrer une compréhension du divin qui puisse guérir nos relations interpersonnelles en tant qu'hommes et femmes, personnes du premier et du tiers-monde, Blancs et Noirs, et humains avec la terre, nous devons rejeter ce modèle transcendantal du divin. Nous devons soutenir une compréhension du divin comme étant la source et la puissance de vie dans et à travers toutes choses, qui ne soit pas séparée de nous-mêmes et de l'ensemble du monde naturel. Les théalogiennes, telle que Carol Christ, voient le divin essentiellement comme une personnification féminine. « Elle est en nous et en toutes choses », ou même « elle *est* nous et toutes choses »[1]. Toute séparation du divin d'avec la nature est considérée comme étant automatiquement un principe de domina-

---

1. Carol P. CHRIST, *Laughter of Aphrodite : Reflections on a Journey to the Goddess*, San Francisco, Harper and Row, 1987.

tion et d'oppression. Manifestement, l'archevêque et la théalogienne se font face ici avec des anathèmes mutuels.

Il me semble que les féministes chrétiennes essaient de trouver leur chemin entre ces oppositions. Elles cherchent à maintenir ensemble la transcendance et l'immanence, et de manière à ne pas les séparer de façon dualiste. En effet, c'est cette séparation dualiste de l'immanence et de la transcendance qui est la racine du problème. Aussi longtemps que nous continuerons à présumer que la transcendance signifie rupture et distance et l'immanence une réduction à ce qui existe actuellement, aussi longtemps que nous associerons la première à la masculinité, à l'intelligence (*mind*) et à l'esprit et la seconde à la féminité, au corps et à la matière, nous ne pourrons pas nous sortir de cette impasse.

Dans mon propre cheminement théologique, je me sens depuis longtemps à l'aise avec une compréhension du divin comme étant la puissance et la source de vie au-dessous, autour et au travers de toutes choses. La célèbre déclaration de saint Paul, dans le livre des Actes, selon laquelle Dieu est celui en qui nous « avons la vie, le mouvement et l'être » (Actes 17,28) s'accorde avec mon expérience. La vision de Dieu comme un « vieil homme blanc et barbu » gouvernant la terre de l'extérieur ne m'a jamais semblé réelle.

Cette intuition s'est incarnée pour moi de manière dramatique lors d'une expérience que j'ai vécue lorsque j'avais environ dix-huit ans. Depuis quelque temps, je réfléchissais intensément à la signification de l'existence de Dieu. Un jour, j'ai vécu comme une sorte de « rêve éveillé » où je me voyais dans la vaste antichambre d'un château devant une porte fermée. J'ai ouvert la porte et j'ai constaté qu'elle donnait sur un escalier en colimaçon. Lorsque je suis arrivée en haut de l'escalier, j'ai trouvé une autre antichambre et une autre porte fermée. J'ai ouvert la porte et j'ai trouvé un autre escalier. Cela a duré pendant un certain temps, alors que j'ouvrais des portes successives et montais des escaliers successifs.

Finalement, je me suis retrouvée dans une antichambre face à ce que je sentais intuitivement être la dernière porte. Pour une raison ou pour une autre, je savais que derrière cette porte se trouvait la salle du trône de Dieu. Tremblante d'anticipation, j'ouvris toute grande cette dernière porte et j'entrai dans la salle du trône. À l'intérieur se trouvait un grand trône, mais je vis qu'il était *vide*! En réfléchissant à cette expérience, je me suis rendu compte que cela signifiait que Dieu ne se trouve pas au sommet d'une série de montées, toujours plus haut, vers le plus haut point de commandement au-dessus de tout le reste. La salle du trône au sommet de la tour du château est vide. Dieu n'est pas là.

Alors, où est Dieu? Mon intuition me disait : « Cherche Dieu, non en haut, mais en bas. Non dans les salles du trône du pouvoir et de la domination, mais à l'intérieur et au travers de ce qui nourrit la vie quotidienne. » Voilà la compréhension de Dieu qui rejoint mes sentiments, ma compréhension et mon être, qui rejoint mon être même tout entier. Voilà comment je fais l'expérience de Dieu lorsque je prie, lorsque je cherche à connaître sa présence. J'ai déjà parlé, dans mes écrits, de cette compréhension de Dieu en tant que « matrice divine ». Le langage employé par Tillich pour parler de Dieu comme le « fondement de l'être » me semble indiquer une compréhension similaire de Dieu.

La compréhension de Dieu en tant que matrice divine est-elle adéquate? Ou bien passe-t-elle à côté d'une grande vérité sur Dieu qu'expriment les images de Dieu comme régnant sur un trône à partir d'en haut? Et pourtant, je trouve impossible d'expérimenter cette vision de Dieu ou d'y croire vraiment. J'ai vu que la salle du trône est vide. Elle peut être remplie de rois, de chefs militaires, de directeurs généraux de sociétés internationales, mais elle est vide de Dieu. Dieu n'est pas là. L'Église a beau continuer à chanter que Dieu est Roi des Rois et Seigneur des Seigneurs, le trône reste inoccupé.

Cependant, je rejette la conséquence voulant que la compréhension de Dieu comme matrice divine soit simplement de l'immanentisme, au sens d'une réduction du divin à ce qui est. Car ce qui est, c'est précisément le monde gouverné par les chefs militaires et les directeurs généraux de sociétés internationales. Il y a quelque chose de faux dans l'identification de la transcendance avec le Dieu de la salle du trône. Dieu matrice divine n'est pas immanence contre transcendance, mais est à la fois immanent et transcendant, alors que le Dieu de la salle du trône démontre une fausse idée de la transcendance, une représentation de la relation de Dieu avec la création d'après le modèle de gouvernants oppressifs dominant les gouvernés.

Ce qu'on retrouve ici est une confusion fondamentale dans notre langage théologique quant au sens de l'immanence et de la transcendance, une confusion qui est souvent partagée par les féministes et les anti-féministes, par les théalogiennes aussi bien que par l'archevêque. Tant les théalogiennes que l'archevêque sont pris dans un faux dualisme où chacune des parties s'accroche à une demi-vérité déformée. L'archevêque pense que Dieu ne peut être vraiment Dieu que s'« Il » est compris comme étant spatialement en dehors de toutes choses créées et comme les gouvernant à partir d'en haut. Les théalogiennes présument que, pour que le divin soit principe de vie et source de tout, il doit être entièrement à l'intérieur du monde naturel, dans le sens où il est **identique** au monde et à la nature telles qu'ils sont actuellement.

Ce que les théologiennes féministes cherchent à affirmer, en insistant sur l'immanence divine, est une compréhension holistique de Dieu qui ne prenne pas pour modèle le dualisme de l'intelligence (*mind*) contre le corps, de l'esprit contre la matière, de l'homme contre la femme. Dieu est le pouvoir créateur qui est véritablement la source de toute vie dans sa plénitude et sa bonté. Cependant, les théologiennes féministes cherchent aussi un Dieu qui puisse nous libérer du patriarcat, nous libérer des systèmes oppressifs du monde qui nous entoure et qui ont constitué et constituent encore une si large part de l'histoire de l'humanité. La quête du Dieu libérateur, du Dieu des nouvelles possibilités est-elle en conflit avec la compréhension de Dieu comme source de tout ce qui est? L'idée de Dieu comme matrice divine, comme fondement de l'être, réduit-elle Dieu à ce qui existe actuellement, sacralisant par là les choses telles qu'elles sont?

Afin de sortir de cette impasse dualiste et de faire l'expérience d'un Dieu qui soit à la fois holistique et libérateur, nous devons nous libérer des dualismes esprit (*mind*)-corps, extérieur-intérieur, qui ont été encodés dans les concepts chrétiens de transcendance et d'immanence. Nous devons aussi remettre en question l'identification de la masculinité au côté transcendant et de la féminité au côté immanent de cette polarité. La transcendance de Dieu n'a rien à voir avec le fait d'être masculin, à l'extérieur, lointain et désincarné. L'immanence de Dieu n'a rien à voir avec le fait d'être féminine, à l'intérieur, proche et corporelle. Ces dualismes faussent la tension fondamentale de l'existence humaine entre ce qui *est* actuellement et ce qui *devrait être*, entre l'existence présente avec ses distorsions oppressives et les possibilités libératrices.

Je reprends ici une idée que j'ai apprise des écrits de Dorothee Soelle. La transcendance de Dieu signifie sa liberté radicale envers tous les systèmes humains de distorsions oppressives, de péché et de mensonges[2]. L'immanence de Dieu signifie sa présence libératrice en nous, au travers de nous et au-dessous de nous, présence qui nous donne le pouvoir de nous libérer de cette réalité oppressive de péché et de mensonges. Les deux, en fin de compte, ne font qu'un, c'est-à-dire que Dieu est puissance et présence libératrices comme Quelqu'un qui est radicalement libre envers nos systèmes de péché et de mensonges et qui est plus près de nous que nous le sommes de nous-mêmes.

Le dieu de la salle du trône, vu comme le fondateur des systèmes d'oppression, n'est, par définition, ni transcendant ni libre envers ces systèmes, mais immobilisé en eux et défini par eux comme leur sommet et leur source mêmes. Un tel dieu est l'idole des systèmes d'oppression. Cela signifie que le dieu patriarcal, le dieu défini comme masculinité-esprit-extériorité, en excluant féminité-corps-présence, manque de transcendance authentique. Un tel dieu est plutôt la créature des idéologies et des systèmes de pouvoir humains, mis en place afin de justifier la domination des hommes sur les femmes, de la classe dirigeante sur les pauvres, des puissants sur les impuissants.

Tous ceux et celles qui cherchent une véritable libération doivent rejeter cette idole de la fausse transcendance, mais le fait d'adopter l'envers de ces mêmes dualismes et d'identifier le divin au féminin, au corps et à l'ici et maintenant ne nous aide nullement. Une telle immanence est dangereuse, pour les victimes de l'oppression et pour nous tous et toutes, car, par voie de conséquence, elle rend naturels les systèmes de domination. Elle sacralise sans discernement ce qui existe comme étant l'œuvre et la volonté de Dieu. Ce dont les personnes opprimées et nous tous et toutes avons plutôt besoin, c'est un Dieu de libération qui peut transformer ce qui est et nous libérer des systèmes de péché et de leurs idéologies qui se sacralisent elles-mêmes.

Il y a quelques années, Rita Gross, une théologienne féministe bouddhiste, a fait une distinction utile lors d'une discussion à l'*American Academy of Religion* portant sur l'immanence et la transcendance[3]. Gross a suggéré que nous devrions peut-être considérer la transcendance et l'immanence comme des expériences subjecti-

2.   Dorothee SOELLE, « God Language and Patriarchy » in COELI *International* (Été 1992), p. 1-5.
3.   Rita M. GROSS, « Immanence and Transcendence in Women's Religious Experience : A Non-Theistic Perspective », dans Arvind Sharma et Katherine

ves plutôt que comme des caractéristiques objectives ou ontologiques du divin. La transcendance, dans l'expérience religieuse, consiste dans les expériences d'exaltation qui nous permettent de nous élever au-delà des schémas triviaux et oppressifs de l'existence présente et de toucher des possibilités transformatrices et libératrices. Ce sont précisément les personnes auxquelles la société dit de s'installer dans les aspects triviaux et oppressifs de la réalité présente, c'est-à-dire les femmes, qui ont le plus désespérément besoin de telles expériences de transcendance.

Que sont ces expériences de transcendance? Celles-ci peuvent nous arriver dans des expériences d'une beauté à couper le souffle, liées à la nature, à l'art et à la musique, qui nous élèvent au-delà de l'ordinaire. Celles-ci peuvent également être des expériences de dissonance cognitive bouleversantes qui nous forcent à rejeter le présupposé que les réalités oppressives sont « normales » et acceptables, en nous mettant en contact avec notre potentiel le plus profond de plénitude de vie. Nous pouvons trouver de telles expériences dans la prière profonde et attentive et dans des relations profondes et attentives avec les autres, autant avec les autres humains qu'avec les autres créatures de la terre. Les expériences de transcendance sont intrinsèquement heureuses, inattendues, imméritées, gracieuses. Elles nous viennent d'« au-delà » d'où nous « sommes », et pourtant, elles nous mettent en contact avec ce que nous « sommes » plus véritablement. Elles sont la grâce divine et notre vraie « nature ».

Dans son article, Gross suggérait que c'est uniquement lorsque nous nous sommes engagés dans un long et profond cheminement d'expériences transcendantes et transformatrices, lorsque nous avons passé quelque temps à démêler ce qui est authentique et vivifiant de ce qui est illusoire et violent, que nous pouvons risquer des expériences d'immanence, c'est-à-dire expérimenter le divin comme la source sacrée de la vie quotidienne en nous et autour de nous. L'« immanence prématurée » est dangereuse, en particulier pour les femmes, car elle risque de sacraliser les schémas oppressifs mêmes dont nous avons besoin d'être libérés.

K. Young (éd.), *The Annual Review of Women in World Religions*, vol. 5, New York, SUNY Press, 1999, p. 62-79.

La compréhension de Dieu dans la théologie de libération éco-féministe doit être radicalement transcendante, au sens de radicalement libre, la source même de la liberté envers tous les systèmes de péché et de mensonges. C'est uniquement lorsque nous sommes profondément en contact avec le dieu de la liberté libératrice, lorsque nous sommes profondément transformés grâce au dieu de liberté, que nous pouvons aussi embrasser Dieu comme Quelqu'un qui est plus près de nous que nous le sommes nous-mêmes, qui est au-dessous, autour et au travers de toute chose, la source de vie et du renouvellement de la vie. Le créateur de la vie est en même temps le Dieu des possibilités.

Cette compréhension de Dieu en tant que présence transformatrice, transcendance immanente et immanence transcendante, doit aussi transformer notre façon dualiste de séparer la nature de l'histoire, la création de la rédemption. Comme la tradition chrétienne l'a toujours affirmé, à l'encontre du dualisme marcionite, le Dieu qui crée le monde n'est pas autre que le Dieu qui rachète le monde. Cela signifie que Dieu comme créateur ne peut être identifié au fondateur des systèmes d'oppression. Les systèmes d'oppression sont plutôt des distorsions profondes de l'espérance de Dieu à l'égard de la création et à l'égard du propre potentiel et de la « nature véritable » de la création. La Rédemption est l'accomplissement de la Création, la manifestation achevée de son être véritable et de l'espérance de Dieu.

La division entre la nature et l'histoire, et l'identification des faux dieux « païens » aux « dieux de la nature » par opposition au « vrai Dieu biblique de l'histoire » ont été popularisées par la théologie allemande du 19ᵉ siècle et par la théologie néo-orthodoxe dans la première moitié du 20ᵉ siècle. Mais je crois que cette séparation fausse la perspective biblique. Bien que Dieu soit vu comme créant la nature plutôt que comme une expression de celle-ci, il y a néanmoins dans la Bible un vif sentiment de la présence de Dieu dans la nature.

La nature que Dieu crée est vivante et noue avec Dieu une relation pleine de vitalité. Dieu prend plaisir dans les animaux, les plantes, les collines et les ruisseaux que Dieu crée, et ces derniers répondent à ce plaisir par la louange et la réjouissance. La bénédiction divine inonde la terre comme une « eau douce », les forêts du Liban bondissent comme un veau, les collines se ceignent de joie, les prés se revêtent de troupeaux, les vallées se parent de blé, ensemble elles et ils crient et

chantent de joie (Psaumes 29,6; 65,9-13). Ce langage n'est pas simplement de la « poésie vide », mais exprime l'expérience vitale d'une
relation Je – Tu entre Dieu et la nature dans la spiritualité hébraïque.

Dans la pensée hébraïque, ce ne sont pas simplement les événements de l'histoire humaine, mais aussi les événements de la nature
qui sont des expressions de la présence de Dieu dans la création. Dieu
est présent et dans la bénédiction et dans le jugement. Autrement dit,
tout ce qui se passe est un événement enraciné dans une relation à
Dieu. La nature n'est pas « statique », par opposition aux événements
humains perçus comme changeants et ouverts à la nouveauté, mais
c'est toute la création qui est historique. Le péché humain cause
l'injustice dans les affaires humaines, mais pollue également la terre.
La terre se languit dans la sécheresse et soupire après la bénédiction
que constitue la pluie. Mais lorsque les humains retournent à l'obéissance à Dieu, il y a la justice et la paix dans les affaires humaines, mais
aussi la paix entre les humains et la nature, et au sein de la nature elle-
même. La nature et l'humanité s'épanouissent ensemble.

Cette vision serait problématique si elle était comprise de façon
mécanique, blâmant les victimes pour les catastrophes naturelles.
Mais on peut la lire comme une intuition profonde de la relation entre
l'injustice et l'appauvrissement de la terre. Cette relation est devenue
évidente dans la pensée écologique actuelle. Le colonialisme, par
exemple, réduit les peuples indigènes en esclavage et s'empare aussi de
leur terre. Il exploite leur travail ainsi que la terre pour le profit de la
minorité colonisatrice. Le résultat est une terre dévastée et des communautés humaines dévastées : sol arable emporté, lacs et cours d'eau
pollués, forêts pluviales détruites, ce qui affecte le climat planétaire,
pauvreté et violence dans les vies humaines; une histoire racontée de
façon dramatique, par exemple, dans le livre d'Eduardo Galeano,
*Open Veins of Latin America : Five Centuries of the Pillage of a Con-
tinent* (1973).

Ces désastres manifestent l'injustice; mais ils ne sont pas eux-
mêmes justice divine. Car ce sont les victimes qui souffrent le plus des
effets de ces désastres, tandis que les personnes qui exploitent d'autres
humains ainsi que la terre continuent d'en tirer profit. Ces personnes
aussi en paieront peut-être un jour le prix, mais uniquement lorsque
tout le système s'écroulera comme un château de cartes. Alors, nous
serons tous et toutes punis, mais cela n'est pas la rédemption. La

rédemption doit joindre, à de nouvelles relations entre les humains, de nouvelles relations entre les humains et la terre. La justice doit être comprise comme éco-justice, la relation intime entre la façon dont nous nous traitons les uns les autres et la façon dont nous traitons la nature.

L'éco-justice signifie une transformation profonde de tout le système de relations entre nous et avec la terre, passant d'un système de violence et d'exploitation à un système qui peut nourrir, à tous les niveaux, des relations qui donnent la vie : entre les classes sociales, entre les races, entre les humains, et entre les humains et la terre. L'intuition éco-féministe est que les relations homme-femme sont à la fois des symboles et des expressions de ce tissu de liens existant entre les humains et entre les humains et la nature.

La façon dont nous pensons Dieu est cruciale à la transformation de notre pensée concernant tout ce tissu de relations. Dieu se situe dans une inter-relationalité dynamique avec toute sa création, et pas seulement avec les humains. Les humains constituent cependant un point central de cette interrelation, même si nous sommes arrivés tard sur cette planète et que notre avènement en tant qu'espèce dominante soit encore plus récent, c'est-à-dire au cours des derniers millénaires. Pourtant, à mesure que nous devenons de plus en plus capables de dominer et de contrôler la nature, nous en sommes venus à imaginer que nous lui étions transcendants, que nous étions indépendants d'elle.

Il s'agit là d'une conscience fausse, car quelle que soit l'ampleur de notre impact global, celui-ci se fonde encore totalement sur les processus terrestres vivifiants que sont la lumière du soleil, le sol et la photosynthèse réalisée par les plantes vertes. Nous avons le choix, soit d'utiliser nos connaissances et notre pouvoir pour nous harmoniser avec les processus qui permettent la viabilité de la terre, soit de nous détruire en tant qu'espèce et de détruire un bon nombre des créatures terrestres avec nous. Nous ne pouvons être rachetés que sur la terre et de la terre, non en dehors d'elle et contre elle. Il est crucial de repenser notre compréhension de la relation entre Dieu, les humains et la nature précisément parce que la pensée occidentale a modelé son concept de transcendance divine sur cette conscience fausse de notre autonomie envers la nature.

Certaines théologiennes éco-féministes, telle la Brésilienne Ivone Gebara, ont développé ce sens de l'inter-relationalité de toutes choses afin de reconstruire la compréhension de Dieu en tant que Trinité. Pour Gebara, le Dieu trinitaire est la matrice nourrissante de la relationalité. Le Dieu trinitaire ne signifie pas une relation séparée, enfermée sur elle-même de deux ego masculins désincarnés l'un avec l'autre, médiatisée par l'Esprit. La Trinité symbolise et exprime plutôt la dynamique de la vie elle-même en tant que processus de créativité inter-relationnelle vitale[4].

La vie en tant que créativité inter-relationnelle existe à tous les niveaux de réalité. Elle se révèle en tant que cosmos dans le déploiement des planètes et des galaxies. Dans l'histoire de la terre, elle se montre dans l'interrelation dynamique de la vie telle qu'elle s'est déployée dans la biosphère. Chaque espèce se ramifie en de nombreuses différences, et sur le plan humain, en de nombreuses races et cultures. Cette diversité n'est pas rupture, mais la base d'une communauté nouvelle et enrichie. Tel est le défi de devenir une communauté globale de vie sur la terre aujourd'hui.

Le processus de créativité est dialectique, un processus de différenciation et de nouvelles occasions de communion. Cette dynamique trinitaire est à la fois créatrice et rédemptrice. Il s'agit du processus qui, à la fois, crée la vie et cherche à corriger les relations déformées afin de rétablir une relation aimante et vivifiante dans de nouveaux contextes. Dieu comme Trinité symbolise tout ce processus : Dieu en tant que matrice créatrice, diversifiante, nourrissante et rédemptrice de la vie cosmique, planétaire, sociale et interpersonnelle.

La création et la présence de Dieu au sein de la création sont un processus dynamique, toujours ouvert à de nouvelles possibilités, à l'espérance qui est en elle. Dans ce potentiel dynamique, les humains ne sont pas séparés du reste de la nature. La vie humaine ne peut exister sans notre intégration à la communauté terrestre entière et au cosmos. Le caractère pécheur de l'humanité engendre des relations déformées l'un avec l'autre, avec les autres humains et tous les êtres terrestres et avec l'univers lui-même. Les relations déformées empoi-

---

4.   Ivone GEBARA, « The Trinity and Human Experience » dans Rosemary RUETHER (éd.), *Women Healing Earth : Third World Women on Ecology, Feminism and Religion*, Maryknoll, NY, Orbis Press, 1996, p. 13-23.

sonnent le sol, polluent l'air et les eaux, torturent les corps animaux et humains et nous appauvrissent tous et toutes.

La rédemption est une conversion les uns aux autres et à la terre entière, une conversion qui en même temps nous ouvre à notre plein potentiel, l'épanouissement de la vie dans une relation juste. Nous avons la vie, le mouvement et l'être en Dieu lorsque nous sommes transformés en des moments de relation juste avec les autres humains et avec les autres créatures terrestres, nos semblables. Les animaux et les plantes, les océans et les planètes sont nos ancêtres et nos proches, des manifestations du Saint et les membres d'une seule communauté bien-aimée. Chaque moment est ouvert à Dieu, ouvert à de nouvelles possibilités de devenir ce que nous sommes vraiment et ce que nous sommes appelés à être. Le défi de la théologie éco-féministe est de tisser, à la lumière de l'histoire de la terre aussi bien que des crises engendrées par le péché humain, une vision de la présence divine qui, à la fois, sous-tend et nourrit les processus naturels et nous donne également le pouvoir de lutter contre les excès des puissants et de tendre la main aux victimes afin de créer de nouvelles communautés d'épanouissement mutuel.

RÉSUMÉ

Dans cet article, Rosemary Ruether répond au *Psalm of Anger to a Patriarchal god* en interrogeant le concept de Dieu sousjacent à ce cri. Sa propre vision de Dieu est celle d'une matrice divine sousjacente à toute la réalité et non celle d'un Dieu patriarcal qui justifie la domination des femmes. Cette vision de Dieu comme matrice divine soulève cependant la question de la relation entre la transcendance et l'immanence divines. Ruether rejette la division entre l'immanence et la transcendance qui considère Dieu soit comme un pouvoir distant à l'extérieur et au-dessus de la création, soit comme la fondation immanente de ce qui existe et justifierait du coup les systèmes de domination existants. Ce dont nous avons besoin, c'est d'une synthèse dynamique de l'immanence et de la transcendance qu comprenne Dieu à la fois comme « radicalement autre » que tous les systèmes d'injustice et comme plus près de nous que nous ne le sommes à nous-mêmes. Cette vision sous-tend aussi la théologie écoféministe qui considère tous les êtres comme vivant et liant une relation active Je-Tu les uns avec les autres. Dieu est la matrice dynamique des inter-relations entre tous les êtres.

ABSTRACT

In this article Rosemary Ruether responds to the *Psalm of Anger to a Patriarchal god* by asking what concept of God underlies this outcry. Her own view of God has been that of a divine matrix underlying all reality, not a distant patriarchal God who sanctions domination of women. But this view of God as divine matrix raises the debate about the relationship between the transcendence and the immanence of God. Ruether rejects the split between immanence and transcendence that sees God either as a distant power outside and over against creation or as the immanent foundation of what exists, in the sense of existing systems of domination. What is needed is a dynamic synthesis of immanence and transcendence that understands God as both "radically other" than all the systems of injustice and also closer to us that we are to ourselves. This view underlies ecofeminist theology also. Ecofeminist theology sees all beings as alive and entering into a lively I-Thou relation with each other. God is the dynamic matrix of interrelationship between all beings.

Théologiques 8/2 (2000) 49-75

Du pantocrator au crucifié

Jean RICHARD
Faculté de théologie et
de sciences religieuses
Université Laval
Québec

Ce titre qu'on m'a proposé, et que j'accepte volontiers, indique très bien ce dont il est question. Il s'agit du rapport entre le premier et le deuxième article du Credo chrétien, le rapport entre le Père tout-puissant et son Fils, le Christ crucifié. Il y a manifestement une tension entre ces deux pôles de la foi, une tension qui, en principe, se résout dans le troisième article, dans l'unité de l'Esprit Saint.

Selon cette vision de la foi chrétienne, le Credo représente beaucoup plus qu'une norme, qu'une simple mesure de l'orthodoxie ; il exprime la dynamique même de la vie de foi, en tension constante entre la toute-puissance du Père et l'abaissement du Fils. Cette même tension explique les différents types de christianisme qui se sont succédés au cours de l'histoire, tout autant que les différentes sensibilités chrétiennes qui se manifestent et s'affrontent encore aujourd'hui parmi nous.

On pourrait dire à cet égard que, dans l'évolution de la foi chrétienne, l'accent est passé du pôle de la toute-puissance divine à celui de la souffrance du Crucifié. Dans les premiers siècles de l'Église, à l'époque des premiers grands conciles, le mouvement se faisait en sens inverse : du Crucifié au Pantocrator. Il s'agissait alors de faire valoir que le Fils était l'égal du Père, de même nature que le Père, c'est-à-dire de même puissance que lui. Mais le centre de la foi s'est manifestement déplacé, du premier au deuxième article du Credo. Aujourd'hui, la tendance va plutôt à penser que le Père est l'égal du Fils, c'est-à-dire qu'il assume son abaissement, qu'il est présent, souffrant et mourant avec lui et en lui sur la croix.

Pour rendre compte adéquatement de l'état de la foi chrétienne, du *sensus fidei*, on doit ajouter cependant que la communauté de foi présente aujourd'hui un pluralisme tout aussi manifeste que celui de la société civile. C'est dire que les différents courants qui sont apparus au cours des âges se font encore sentir aujourd'hui au cœur de chaque communauté, au-delà même des limites confessionnelles, dans toutes les grandes Églises chrétiennes. Si l'on admet, au principe même de la foi, la tension dynamique dont nous avons parlé, on pourra reconnaître dans cette situation la grande richesse de l'Évangile.

Mais la reconnaissance d'un tel état de fait commande aussi le travail du théologien. Il devra prendre acte de ces différentes figures de la foi chrétienne aujourd'hui. Cela l'obligera à relativiser sa propre position, lui évitant par là de glisser dans le dogmatisme. Il ne devrait pas en rester là cependant. S'il veut faire plus que l'histoire de la pensée chrétienne aujourd'hui, en surplombant les différents courants chrétiens, s'il veut vraiment faire théologie, il devra lui-même s'engager, prendre option, se faire le porte-parole, la conscience réflexive d'un courant particulier qui lui a donné accès au coeur de l'Évangile[1].

Commençons donc par faire état des deux courants opposés sur la question qui nous intéresse. Nous tenterons ensuite de clarifier la position qui est la nôtre.

---

1.   J'avoue faire ici la théologie à la manière d'Ernst Troeltsch, tel qu'il l'exprimait dans son cours de 1912-1913 à Heidelberg : « Comme Schleiermacher, nous construisons nous aussi sur la conscience présente de la communauté. Pour une théologie de la conscience, il ne s'agit pas de faire un exposé du christianisme dans sa totalité, mais seulement de comprendre le christianisme d'aujourd'hui. Cela n'est pas facile ; ce n'est possible qu'avec courage et avec une prise de position personnelle. Quiconque entreprend cette tâche en assume la responsabilité. La seule preuve possible est celle de sa théologie, car il n'y en a pas d'autre que le sentiment qu'ici se trouve le grand et puissant courant qui emporte le présent et le conduit vers l'avenir. À ce point précis, cesse la stricte science démonstrative ; le sentiment personnel, la prise de position pratique constituent l'essentiel » (*Glaubenslehre* [1925], Scientia Verlag Aalen, 1981, p. 14).

I. Le point de vue de la *kénose* de Dieu

Voyons d'abord un témoin du courant qui domine aujourd'hui la pensée chrétienne, celui de l'abaissement (*kénose*) de Dieu. Il s'agit d'un article de Jean-Marie Glé, jésuite, paru récemment dans la revue *Christus*. L'auteur se présente comme suit : « j'appartiens à l'Église catholique, à une congrégation religieuse, à une communauté, au corps professoral d'une faculté de théologie catholique[2] », en l'occurrence, le Centre Sèvres de Paris. L'article porte sur les difficultés que ressentent aujourd'hui les croyants de « penser Dieu créateur ». Il s'agit donc du premier article du Credo et de la nécessité de repenser aujourd'hui la foi en Dieu créateur. La difficulté vient justement de l'association de l'idée de création à celle du Père tout-puissant.

Plus précisément, deux traits caractéristiques de la situation contemporaine s'opposent à cette idée d'une toute-puissance créatrice. Et l'on se trouve par là déjà en plein paradoxe, puisque ces deux traits sont, d'une part, la pleine autonomie humaine revendiquée par la modernité et, d'autre part, l'énorme souffrance qu'a connue l'humanité au cours du XXe siècle.

Il importe de bien saisir le sens de cette autonomie moderne. On doit dire qu'il s'agit là d'abord d'un fait socio-culturel : un fait d'évolution culturelle tout aussi naturel et normal que celui de l'enfant qui, devenu adulte, acquiert son autonomie face à sa famille. Celle-ci, jusque là, l'avait encadré, dirigé ; elle lui laisse maintenant sa liberté, ce qui rendra possible la constitution de nouveaux liens avec les parents. Il en va de même dans l'évolution de l'humanité :

> Au sein de la société moderne occidentale a émergé l'individu : l'appartenance à une famille, à un milieu social, à une région ou à un pays, ne détermine plus le comportement de la personne. La mondialisation va de pair avec une individualisation toujours plus forte au sein de la société. Celle-ci n'est pas configurée comme une totalité dont les individus seraient des parties, mais comme un ensemble d'individus qui sont chacun un centre de décision autonome[3].

---

2. Jean-Marie GLÉ, « Penser Dieu créateur. Une démarche difficile », *Christus*, n° 185 (janvier 2000), p. 43.
3. *Ibid.*, p. 43.

Une telle révolution culturelle ne signifie pas le refus de toute autorité ; elle implique cependant une transformation radicale de la notion d'autorité et de son exercice. Cela s'applique à tous les ordres d'autorité, jusqu'au niveau théologique. Ainsi, la modernité n'est pas intrinsèquement athée ; elle commande cependant une profonde transformation de la pensée religieuse quant aux rapports de l'humanité avec Dieu son créateur. Or, loin d'être démunie face à ces nouvelles exigences des temps modernes, la pensée chrétienne contient, en son centre même, les ressources nécessaires pour y répondre. Tel est justement le sens nouveau qu'inspire aujourd'hui la pensée de la croix : « Au pied de la croix, je peux découvrir que Dieu, dans la figure du Père, n'est pas un Dieu qui s'impose, qui intervient dans l'histoire humaine[4] ». Dieu nous laisse libres ; plus encore il nous remet la pleine responsabilité de construire le monde, de poursuivre l'oeuvre de la création.

Nous venons de décrire l'autonomie dans sa face lumineuse, dans son essence même. Mais il y a aussi un aspect plus obscur de cette même réalité, telle qu'elle se présente concrètement, historiquement, au cours du dernier siècle tout spécialement. Jean-Marie Glé ne perd pas de vue cette face obscure de la modernité récente :

> Pour autant, je n'oublie pas la réalité historique des camps et la question qu'elle pose à l'égard d'une humanité capable de tant d'horreurs. Je n'oublie pas non plus que la toute-puissance est aussi du côté de l'être humain moderne, qui revendique le pouvoir de la science et de la technique sur une nature « mécanisée ». La toute-puissance techno-scientifique, qui permet Auschwitz et les autres atrocités que le XXe siècle a connues, se retourne en son contraire : l'impuissance de l'humanité à faire face à l'automate « totalitaire ». Dieu est touché, mais l'humanité aussi[5].

On ne peut donc plus parler de Dieu simplement à partir de la nature essentielle des choses, à partir de « la différence qualitative infinie » qui le distingue de l'humanité. On ne peut faire abstraction de la situation historique, existentielle, qui est la nôtre : « Quand il essaie de penser la création, un Européen du XXe siècle ne peut s'abstraire du contexte dans lequel il réfléchit. L'humanité souffrante est son horizon, l'humanité qui ressent concrètement la situation malheu-

---

4.   *Ibid.*, p. 41.
5.   *Ibid.*, p. 42.

reuse dans laquelle elle est[6] ». Or c'est précisément cette situation qui nous rend si difficile la pensée de la toute-puissance : « Au nom de "Dieu créateur" est associée l'idée de la "toute-puissance" divine, qui est de plus en plus difficile à penser pour nos contemporains ; elle est même insoutenable et impensable pour beaucoup[7] ».

Ce n'est pas le comportement de Dieu à travers l'histoire du salut qui rend si difficile cette idée de toute-puissance. On n'y gagnera pas beaucoup, par conséquent, à insister sur le fait qu'il s'agit d'une toute-puissance libératrice, d'une toute-puissance d'amour. Là n'est pas le problème. Il réside plutôt dans la situation humaine en cette période de l'histoire : dans le fait que la puissance humaine — puissance scientifique, technologique, économique — n'a jamais été si grande, que ses développements à venir paraissent illimités, mais que ces perspectives, loin d'être source d'espérance, nous font au contraire craindre le pire, d'après l'expérience que nous en avons fait au cours du siècle qui vient de s'achever.

La solution — le salut — ne peut dès lors consister dans l'évocation d'une puissance plus grande encore que tout ce que peut imaginer l'esprit humain (Anselme) : en somme, une toute-puissance divine. Car le problème ne vient pas d'un manque de puissance, mais de sa perversion. La solution devra donc être la conversion de la puissance, non pas son augmentation, ni sa simple suppression. Or c'est là tout l'enseignement de l'Évangile jusqu'à son point culminant, le Golgotha. C'est là le point fort de l'enseignement de Jésus à ses disciples : la conversion du pouvoir en service ; le plus grand qui doit se mettre au service du plus petit. Et Jésus lui-même, le Maître qui parle avec autorité, qui agit avec puissance, ne vient pas pour être servi mais pour servir et donner sa vie par amour. Jusqu'ici tout chrétien sera bien d'accord. Les avis divergent cependant quant à la signification de tout cela pour la puissance divine. La position que nous présentons maintenant soutient que cela s'applique aussi à la toute-puissance divine, que cela signifie précisément la conversion, le renversement de notre affirmation de la toute-puissance. Dans le Christ crucifié, Dieu renonce à sa toute-puissance ; il donne lui-même sa vie par amour, pour le salut du monde.

---

6. *Ibid.*, p. 39.
7. *Ibid.*, p. 39-40.

Ces dernières réflexions débordent le texte même de Jean-Marie Glé ; elles prétendent cependant en exprimer le sens profond. Avant de passer à autre chose, je tiens encore à signaler la référence répétée que fait l'auteur aux lettres de prison de Dietrich Bonhoeffer. Car Bonhoeffer n'est pas un simple théologien parmi d'autres. C'est, au sens le plus strict, un témoin (martyr), situé au coeur de la situation, qui fait pleinement l'expérience des ténèbres de son époque. C'est de là qu'il voit l'humanité face à Dieu et qu'il en parle. On comprend mieux alors un paradoxe qui en étonne beaucoup. D'abord, son affirmation de la pleine autonomie séculière de l'homme moderne : « En devenant majeur, nous sommes amenés à reconnaître de façon plus vraie notre situation devant Dieu. Dieu nous fait savoir qu'il nous faut vivre en tant qu'hommes qui parviennent à vivre sans Dieu[8] ». Mais cette même lettre du 16 juillet 1944 se termine par un rappel de la misère humaine. Dieu est reconnu alors, non plus simplement comme abandonnant l'homme à ses responsabilités, mais comme celui qui souffre avec lui : « Dieu se laisse déloger du monde et clouer sur la croix. Dieu est impuissant et faible dans le monde et ainsi seulement il est avec nous et nous aide. Matthieu 8, 17 indique clairement que le Christ ne nous aide pas par sa toute-puissance, mais par sa faiblesse et ses souffrances[9] ».

II. Le point de vue de la toute-puissance de Dieu

Passons maintenant à l'autre courant de la pensée chrétienne contemporaine, où l'idée de la toute-puissance divine est maintenue dans son intégrité. J'ai choisi comme porte-parole de cet autre *sensus fidei* un autre théologien de Paris, Jean-Pierre Batut, relié cette fois au studium du séminaire de Paris. Je m'arrêterai plus spécialement à son article paru récemment dans la revue *Communio* sous le titre : « Dieu le Père tout-puissant ». J'insiste sur le fait qu'on trouve là l'expression d'une autre sensibilité chrétienne et théologique. La différence entre ces deux types de théologie ne vient donc pas de ce que l'une serait plus

---

8. Dietrich BONHOEFFER, «Lettre du 16 juillet 1944.» In : *Résistance et soumission. Lettres et notes de captivité*, nouvelle édition, Genève, Labor et Fides, 1973, p. 366.
9. *Ibid.*, p. 367.

critique, l'autre plus naïve. Le texte que je présente maintenant n'est pas moins critique que le précédent, tout au contraire.

L'auteur entend, en effet, rétablir le sens biblique et chrétien de la toute-puissance. Celle-ci n'est pas le privilège de quelqu'un qui peut faire tout ce qu'il veut. Tout l'article vise à dépasser cette notion si profondément ancrée dans la conscience religieuse, notion d'où surgit spontanément la question, et le scandale : « Si Dieu est tout-puissant, pourquoi le mal existe-t-il ? » Car si Dieu est tout-puissant, il peut faire tout ce qu'il veut et, par conséquent, empêcher tout ce qu'il ne veut pas. Or le bon Dieu ne peut vouloir que le bien.

Pour remettre les choses en place, Batut va s'attaquer d'abord au mot lui-même « tout-puissant ». Ce terme rend plus ou moins bien le grec « *Pantocrator* », qui se retrouve dans les premiers Symboles de foi, dont le Symbole de Nicée-Constantinople. Car, à la différence du latin « *omnipotens* » et du français « tout-puissant », le titre de « *Pantocrator* » est un terme relationnel, qui désigne « un rapport permanent de Dieu à l'univers », et qu'on pourrait traduire littéralement : « qui tient ensemble toutes choses[10] ». Ainsi, « on est *pantocrator* sur quelque chose, alors qu'on est *omnipotens*, tout-puissant, en soi ». D'où le glissement de sens : « Alors que le *Pantocrator* était celui qui règne sur le tout, l'*Omnipotens* pourra être vu comme celui qui peut tout faire, le détenteur jupitérien d'un pouvoir absolu[11] ».

Ces considérations étymologiques ne sont encore qu'une entrée en matière. Batut en arrive vraiment à la chose (*ad rem*) quand il en vient à parler du contexte et de la signification biblique du terme « *Pantocrator* ». Une autre précision s'impose alors. Ce titre ne désigne pas seulement la seigneurie universelle de Dieu sur le monde, une domination qui s'exercerait de façon identique en tout temps. Selon la révélation biblique, la toute-puissance divine comporte de fortes connotations historiques : « pour l'Écriture, la puissance de Dieu s'exerce toujours (même dans les récits de création) à l'intérieur d'un cadre temporel, historique[12] », qui est celui de l'histoire du salut. En

---

10. Jean-Pierre BATUT, « Dieu le Père tout-puissant : Réflexion à propos d'un mot litigieux », *Communio*, XXIII/6-XXIV/1 (novembre 1998-février 1999), p. 59.
11. *Ibid.*, p. 68.
12. *Ibid.*, p. 60.

somme, l'affirmation de principe « Dieu règne sur le monde » signifie concrètement qu'il établit son règne sur le monde au cours de l'histoire : « De la même façon que le Christ, qui *est* le Fils, le *devient* très réellement au terme d'une existence orientée vers le sacrifice pascal, de même le Père, qui *est* le Tout-puissant, prendra possession à la fin des temps d'une souveraineté sur le monde qu'il n'a à vrai dire jamais cessé d'exercer[13] ». Cela se vérifie de façon particulièrement manifeste dans le livre de l'Apocalypse, où se retrouve la quasi-totalité des mentions du *Pantocrator*. Par exemple : « Nous te rendons grâce, Seigneur Dieu *Pantocrator*, qui es et qui étais, car tu as saisi ta grande puissance et établi ton règne » (Ap 11, 17). Batut commente ici bien justement : « il s'agit du constat paradoxal par le voyant de la présence déjà effective d'une réalité encore à venir[14] ».

Or cette dimension historique, que présentent les mentions bibliques de la toute-puissance divine, implique elle-même une connotation relationnelle, cette fois en un sens plus profond, spécifiquement interpersonnel. On rendrait bien la pensée de l'auteur, il me semble, en parlant ici d'une histoire d'alliance du Dieu-Père avec son partenaire humain. Ainsi, corrélativement à l'histoire du salut, « la Bible met en lumière le rôle décisif de la réponse de l'homme, car l'histoire est le lieu de l'émergence et de la réponse des libertés. Celles-ci ont le redoutable pouvoir d'infléchir le dessein de Dieu, sans pour autant le détourner de son orientation originelle[15] ».

C'est dire que, à la fin de l'histoire, triomphera la toute-puissance du Pantocrator. Mais cela s'accomplit toujours dans le cadre de l'alliance, sans violence, dans le respect total de la liberté humaine. Ce qui signifie une corrélation parfaite entre, d'une part, la toute-puissance du Pantocrator et, d'autre part, la soumission spontanée des humains sous forme d'obéissance filiale. Et voilà justement ce qui se trouve en même temps réalisé et annoncé dans la vie et la mort du Christ, le parfait partenaire de l'alliance, le Fils par excellence. C'est donc en lui, avec lui et par lui que le Père tout-puissant réalise son règne en notre monde :

---

13. *Ibid.*, p. 61.
14. *Ibid.*, p. 60.
15. *Ibid.*, p. 60.

Encore faut-il [pour cela] qu'une fidélité sans faille réponde enfin, du côté de l'homme, à la fidélité de Dieu. Tel est l'enjeu de l'incarnation. En Jésus, une liberté humaine [...] a donné enfin une adhésion totale à l'initiative du Père. Ce faisant, cette existence humaine s'est trouvée "filialisée" de part en part, et ce jusque dans l'acte de mourir en remettant son esprit entre les mains du Père[16].

Mais il faut alors pousser plus avant encore l'idée d'une toute-puissance « relationnelle ». La toute-puissance divine se trouve ainsi dite non seulement en raison de sa relation créatrice à l'univers, et non seulement en raison de sa relation d'alliance avec nos libertés créées, mais plus encore à cause de la communication que fait Dieu de sa propre puissance à tous ceux et celles qu'il suscite lui-même comme partenaires de son alliance. Voilà, encore une fois, ce qui apparaît de façon manifeste dans la destinée du Fils : « Ce titre de "Seigneur" est privilégié par l'Écriture pour indiquer la transmission au Christ de la souveraineté du Père sur tous les "étages" de l'univers[17] ». Or cette autocommunication de la puissance divine s'accomplit principiellement, de tout éternité, « dans l'engendrement du Fils et la spiration de l'Esprit ». Mais elle se réalise ultimement dans « l'événement historique de la résurrection, dans lequel le Christ est constitué "Seigneur" par le Père[18] ».

Entre l'origine éternelle et ce terme ultime que représente la résurrection du Christ, prend place maintenant toute l'histoire de la création et du salut de l'humanité. Il y a là deux aspects bien distincts à considérer : la constitution même de la liberté humaine par l'acte créateur et l'histoire mouvementée de l'alliance divino-humaine. Dans les deux cas, de façon bien différente cependant, la toute-puissance divine apparaît comme relationnelle à la liberté humaine, dans un acte d'autocommunication.

Pour ce qui concerne le premier aspect, Jean-Pierre Batut montre bien comment la toute-puissance divine, loin d'être une entrave à la liberté humaine, en constitue au contraire l'origine et le fondement. En effet, il en va tout autrement de la puissance infinie de Dieu et de la puissance toute limitée qui est la nôtre. Notre puissance, notre pou-

---

16. *Ibid.*, p. 60-61.
17. *Ibid.*, p. 59.
18. *Ibid.*, p. 58 et 73.

voir d'être est constamment menacé ; nous devons le retenir jalouse-
ment, nous retrouvant ainsi dans une position conflictuelle face aux
autres libertés qui nous affrontent. Mais cela ne s'applique pas à la
toute-puissance divine : « Alors que nous-mêmes passons notre temps
à redouter que ce que nous avons ne nous échappe, et qu'un autre le
prenne, Dieu ne peut en aucune manière redouter d'être dépossédé de
quoi que ce soit par les hommes[19] ». Au contraire, la puissance infinie
de Dieu est source de toute liberté humaine, comme de toute autonomie créée, puisque celles-ci ne surgissent que du fait de leur participation à cette même toute-puissance divine : « Parce qu'il est sans
l'ombre d'un "faux rapport à l'égard de celui qu'il veut rendre libre",
le Tout-Puissant est en mesure de susciter d'authentiques libertés[20] ».

Batut se réfère ici à un passage du *Journal* de Kierkegaard, en
1846 (Papirer, VII A 181), passage qui se termine par cette phrase
remarquable : « Seule l'omnipotence peut se récupérer alors qu'elle se
donne, et ce rapport constitue précisément l'indépendance de celui qui
reçoit. » On trouve là, bien affirmée, l'idée que l'autonomie (ou la
liberté) humaine est un effet, un don de la toute-puissance divine,
qu'elle provient d'une autocommunication divine. Mais on pourrait y
voir plus que cela, surtout si l'on tient compte de l'inspiration luthé-
rienne omniprésente chez Kierkegaard. Le don que la toute-puissance
fait d'elle-même pourrait être interprété comme un abandon, comme
un renoncement à cette même toute-puissance. En somme, cela pourrait signifier une *kénose* divine, le fait que Dieu se dépouille de ce qui
constitue la marque spécifique de la divinité, la toute-puissance précisément. L'affirmation que « seule l'omnipotence peut se récupérer
alors qu'elle se donne » signifierait alors le paradoxe d'un Dieu qui
demeure Dieu tout en se dépouillant de sa divinité, le paradoxe d'un
Dieu crucifié, en d'autres termes, le paradoxe d'une toute-puissance
souffrante. Une telle interprétation gagne encore en vraisemblance si
l'on tient compte non seulement du fait même de l'autonomie créée,
mais aussi de tous les aléas de la liberté humaine au cours de l'histoire.
Celle-ci a, en effet, « le redoutable pouvoir d'infléchir le dessein de
Dieu », comme on pouvait lire plus haut, ce qui n'est pas sans assom-
brir de façon tragique l'alliance divino-humaine. Quoiqu'il en soit,

---

19. *Ibid.*, p. 72.
20. *Ibid.*, p. 73.

Batut oppose ici une fin de non-recevoir. Il refuse expressément de s'engager dans cette voie :

> Sous l'influence de pensées suggestives, mais sujettes à caution, on a parfois conclu de l'existence de cette liberté à la nécessité de renoncer à l'idée même de toute-puissance, transposant ainsi sur la personne du Père la théologie de la « kénose » que la tradition chrétienne, à la suite de saint Paul, à développée pour rendre compte de l'abaissement du Christ. Faut-il alors imaginer que, pour nous rendre libres, le Père doive devenir « non-puissant », en laissant sa puissance s'abîmer tout entière dans le gouffre de la contingence ?[21]

Sans doute, faudrait-il apporter quelques précisions pour reconstituer la thèse ici incriminée. D'abord, ce n'est pas l'existence même de la liberté humaine qui fait conclure à la *kénose* de Dieu, mais bien plutôt l'histoire de ses aliénations par rapport à son fondement divin, la douloureuse histoire du « péché du monde ». Ensuite, ce qu'affirme cette thèse, c'est que Dieu lui-même, par amour, renonce à sa toute-puissance pour tout le temps de l'histoire ; ce n'est pas nous qui la lui refusons. Enfin, précisément parce que ce renoncement, cet abaissement, vient de Dieu, il devient lui-même expression et signe de sa toute-puissance. C'est ainsi qu'on peut comprendre le mot de Kierkegaard : « Seule l'omnipotence peut se récupérer alors qu'elle se donne. »

Mais, même admises toutes ces précisions, il est peu probable que Jean-Pierre Batut — et tout le courant théologique qu'il représente — puisse changer d'idée et admettre la pensée d'une *kénose* de Dieu. Cela peut surprendre, car il semble bien que cette thèse ne soit que l'ultime aboutissement, la conclusion finale des réflexions développées par notre auteur. Pourquoi alors refuser de poser ce dernier pas, de franchir cette ultime étape ? Mais cette étape présente ceci de particulier, qu'avec elle la pensée bascule dans le paradoxe. Or, pour une théologie ultra-catholique, toute pensée du paradoxe, spécialement celle du paradoxe paulino-luthérien, peut paraître suspecte, « sujette à caution ». Une telle explication, cependant, ne me semble pas suffisante ; elle ne va pas au fond des choses. Elle ne fait pas voir, en effet, toute la distance qui sépare les deux courants de pensée, en suggérant simplement que l'un est plus traditionaliste, l'autre plus progressif, poussant plus avant dans la même ligne.

---

21. *Ibid.*, p. 71-72.

À mon avis, la différence est beaucoup plus profonde. C'est qu'on a, d'une part, une théologie qui se maintient au niveau de la pensée, qui ne considère que l'évolution de la pensée chrétienne, qui n'examine tout au plus que l'histoire biblique, l'histoire du salut ; et, d'autre part, une théologie qui tient compte aussi de la situation historique, tout spécialement la situation présente. Pour mieux saisir de quoi il s'agit, il sera utile de rappeler ici les premières lignes de la *Théologie systématique* de Paul Tillich, qui distingue bien les deux pôles donnant lieu à deux types bien différents de théologie : « Un système théologique doit répondre à deux besoins fondamentaux : l'énoncé de la vérité du message chrétien et l'interprétation de cette vérité pour chaque génération nouvelle. La théologie oscille entre deux pôles : l'éternelle vérité de son fondement et la situation temporelle dans laquelle la vérité éternelle doit être reçue[22] ».

Manifestement, Batut met tout l'effort de sa recherche et de sa réflexion sur le pôle du message chrétien. Il excelle en ce domaine. Il y fait preuve d'une grande érudition et d'un esprit critique qui n'est pas sans audace, tout spécialement quand il recommande là-dessus un retour à la théologie anténicéeene, telle qu'illustrée dans le *Traité des principes* d'Origène. Par contre, notre auteur ne tient aucun compte de la situation particulière qui, à telle ou telle époque, pourrait influer sur la pensée chrétienne en lui conférant une orientation nouvelle. Aussi, au début de l'article, soulève-t-il la question du mal. Mais il s'agit du mal en général, en tant que caractéristique permanente de la condition humaine. De même, vers la fin de l'étude, sera posée la question de la liberté humaine face à la toute-puissance divine. Mais, là encore, il est question de la liberté en général, non pas de l'autonomie caractéristique de la modernité.

On comprend dès lors la forte réaction de Batut contre la vision de Hans Jonas[23]. Ce dernier, en effet, met lui-même l'accent sur la situation, en proposant une théologie après Auschwitz. Sa conférence, *Le concept de Dieu après Auschwitz* est devenue un classique de la théologie négative de la toute-puissance, au même titre que les *Lettres de*

---

22.   Paul TILLICH, *Systematic Theology*, Vol. I, The University of Chicago Press, 1951, p. 3.
23.   J.-P. BATUT, « Dieu le Père tout-puissant », p. 71, note 21, et p. 73.

captivité de Bonhoeffer. C'est de ce côté que nous nous orientons maintenant.

III. La théologie après Auschwitz

Dans sa dernière mouture, ce texte de Jonas est celui d'une conférence prononcée à l'Université de Tübingen en 1984, et qu'il dédie à toutes les victimes de la *Shoah*, dont sa mère, elle-même morte à Auschwitz : « J'ai cru devoir ne pas refuser à ces ombres quelque chose comme une réponse à leur cri, depuis longtemps expiré, vers un Dieu muet[24] ».

Tout comme dans l'article de Batut, le point de départ est ici la question de Job : qu'en est-il de la toute-puissance divine face au mal qui sévit dans le monde ? Mais il ne s'agit plus de la question du mal en général. Jonas, en effet, réclame le droit « de laisser la violence d'une expérience unique et monstrueuse intervenir dans les interrogations sur ce qu'il en est de Dieu[25] ». Cette violence unique, que bien des Juifs appellent « l'horreur absolue », Jonas la décrit plutôt comme le « non-sens absolu », en faisant ressortir la parfaite indifférence qui régnait alors quant à toutes les valeurs pouvant éclairer la situation d'une quelconque lumière divine : « Ici ne trouvèrent place ni la fidélité ni l'infidélité, ni la foi ni l'incroyance, ni la faute ni son châtiment, ni l'épreuve, ni le témoignage, ni l'espoir de rédemption, pas même la force ou la faiblesse, l'héroïsme ou la lâcheté, le défi ou la soumission. Non, de tout cela Auschwitz, qui dévora même les enfants, n'a rien su[26] ».

Auschwitz représente donc l'obscurité absolue, l'éclipse totale, le complet silence de Dieu. Pour Jonas, cependant, cela ne signifie pas la mort de Dieu : « Et quand on ne veut pas se séparer du concept de Dieu — comme le philosophe lui-même en a le droit —, on est obligé, pour ne pas l'abandonner, de le repenser à neuf et de chercher une réponse, neuve elle aussi, à la vielle question de Job[27] ». Le sens du projet de Jonas apparaît ici bien clairement. Devant le caractère radical de sa vision, plusieurs penseront qu'il ne reste plus rien de la foi

---

24. Hans JONAS, *Le Concept de Dieu après Auschwitz. Une voix juive*, Paris, Payot & Rivages, 1994, p. 8.
25. *Ibid.*, p. 10.
26. *Ibid.*, p. 11.
27. *Ibid.*, p. 13.

biblique, que le Dieu des pères se trouve défiguré, méconnaissable. Pourtant, s'il propose cette nouvelle vision, s'il donne congé au « Seigneur de l'histoire » et au Pantocrator, c'est précisément pour que la foi soit encore possible en ce temps du silence de Dieu, et pour qu'elle puisse aujourd'hui encore s'exprimer dans une certaine conceptualité théologique.

Mais une autre surprise nous attend encore ici. Car ce n'est pas d'abord sous le mode conceptuel mais sous la forme du mythe que Jonas va proposer sa nouvelle théologie. Il s'en explique lui-même en se référant à Platon qui autorisait « ce type de conjecture imagée [...] pour la sphère située au-delà de la connaissance[28] ». L'utilisation de la forme mythique rend donc pleinement manifeste le caractère symbolique de tout langage sur Dieu, même le plus conceptuel. Dans son commentaire, Catherine Chalier note une autre influence, au-delà de Platon, celle du gnosticisme, auquel Jonas a consacré ses premiers travaux. Car « les gnostiques recourent au mythe pour parler de l'état présent des choses — la terrible énigme de la souffrance humaine face à la bonté de Dieu. Ils élaborent divers récits qui rendent compte de cette contradiction insupportable, récits remontant à un drame survenu aux origines et expliquant pourquoi ce Dieu ne peut rien pour les hommes[29] ». Ainsi, « à l'instar des gnostiques, mais dans une perspective juive, monothéiste donc, il tente, à son tour d'expliquer la réalité dramatique des jours sur lesquels nulle Providence ne veille, en imaginant ce qui advint aux temps des origines. Comme si, pour tenter de percer l'énigme d'un présent ténébreux et interdit de toute miséricorde, il fallait remonter au plus lointain jadis, à la geste créatrice elle-même[30] ». Voici donc le récit mythique que Jonas propose à notre réflexion :

> Au commencement, par un choix insondable, le fond divin de l'Être décida de se livrer au hasard, au risque, à la diversité infinie du devenir. Et cela entièrement : la divinité, engagée dans l'aventure de l'espace et du temps, ne voulut rien retenir de soi ; il ne subsiste d'elle aucune partie préservée, immunisée, en état de diriger, de corriger, finalement de ga-

---

28. *Ibid.*, p. 14.
29. Catherine CHALIER, « Dieu sans puissance », dans H. JONAS, *Le Concept de Dieu après Auschwitz*, p. 47-48.
30. *Ibid.*, p. 51-52.

rantir depuis l'au-delà l'oblique formation de son destin au sein de la création. L'esprit moderne repose sur cette immanence absolue[31].

Dieu, pour que le monde soit et qu'il existe de par lui-même, a renoncé à son Être propre ; il s'est dépouillé de sa divinité, afin d'obtenir celle-ci, en retour, de l'odyssée des temps, donc chargée de la récolte fortuite d'une imprévisible expérience temporelle, lui-même, Dieu, étant alors transfiguré, ou peut-être aussi défiguré par elle. Dans un tel abandon de l'intégrité divine au profit du devenir sans restriction ne peut être admise aucune connaissance préalable, si ce n'est celle des possibilités qu'accorde l'être cosmique à travers ses propres conditions : ce sont justement les conditions auxquelles Dieu a livré sa cause, puisqu'il s'est dépouillé en faveur du monde[32].

Dans son *Introduction* à Hans Jonas, Franz Josef Wetz note les deux motifs d'une telle conception théologique : c'est d'abord la prise en compte de la vision scientifique du monde, mais c'est aussi l'expérience d'Auschwitz[33]. La vision scientifique s'oppose à toute conception supranaturaliste, à toute intervention d'en haut dans le processus de l'évolution naturelle. Tel est le sens de l'affirmation de Jonas : « L'esprit moderne repose sur cette immanence absolue. » L'univers va son cours, selon ses propres lois, et selon toutes les contingences et hasards qu'elles impliquent. Donc pleine autonomie de tous les processus naturels.

Mais cela signifie aussi la pleine autonomie de la liberté humaine, une autonomie qui implique une puissance réelle, distincte de celle de Dieu : « Donc ce sur quoi la puissance [divine] agit doit avoir une puissance intrinsèque même si cette dernière provient de la première, et fut originairement dispensée à son détenteur en même temps que l'existence par un renoncement à soi de la puissance illimitée, cela dans l'acte de création justement[34] ».

Une telle limitation de la puissance divine, du fait même de la création, est loin d'aller de soi dans une perspective biblique, puisqu'elle implique la négation de la toute-puissance. Il y a donc *rupture* mani-

---

31. H. JONAS, *Le Concept de Dieu après Auschwitz*, P. 14.
32. *Ibid.*, p. 15-16.
33. Franz Josef WETZ, *Hans Jonas zur Einführung*, Hamburg, Junius, 1994, p. 179-180.
34. H. JONAS, *Le Concept de Dieu après Auschwitz*, p. 30.

feste par rapport aux récits bibliques de la création. Jonas ne s'en cache pas, d'autant moins qu'il ose lui-même proposer un nouveau mythe de la création, plus conforme à la vision moderne du monde. Mais il tient tout autant à affirmer la *continuité* avec la foi juive à propos de la création. Voilà pourquoi il insiste sur l'idée d'une *auto*-limitation divine, d'un *auto*-renoncement de Dieu à sa toute-puissance. Il peut alors se féliciter de rejoindre un courant de la tradition juive bien antérieur à la modernité : « mon mythe ne fait au fond que radicaliser l'idée du *Tsimtsoum*, ce concept cosmogonique central de la Cabale lurianique. *Tsimtsoum* veut dire contraction, retrait, autolimitation. Pour faire place au monde, le *En-Sof* du commencement, l'infini, a dû se contracter sur lui-même et laisser naître ainsi à l'extérieur de lui le vide, le néant, au sein duquel et à partir duquel il a pu créer le monde[35] ».

Nous n'avons considéré jusqu'ici que le premier aspect de la thèse de Jonas : la prise en compte de la vision scientifique du monde, de la pleine autonomie humaine et de la totale immanence de Dieu qu'elle commande. Voyons maintenant l'autre aspect, qui fait mieux voir encore le caractère radical de cette théologie : l'expérience d'Auschwitz. Nous touchons ici au cœur même de la thèse de Jonas. Ce fut annoncé dès le début par une question plus d'une fois reprise comme un leitmotiv : « Et Dieu laissa faire. Quel est ce Dieu qui a pu laisser faire ? [...] Quel Dieu a pu laisser faire cela ?[36] »

Vers la fin de la conférence, la question est reprise et la réponse est donnée en des termes aussi clairs que percutants. L'autolimitation divine est totale. Ce qui signifie qu'elle est sans retour. Ce n'est pas comme si Dieu retenait sa puissance et se refusait d'intervenir, à la façon des parents qui laissent leurs enfants prendre certains risques. En somme, c'est toute la question de la « permission divine » qui se trouve soulevée ici. Jusqu'à nos jours, telle fut la réponse de la théodicée : Dieu ne veut pas le mal, mais il le *permet*, pour un plus grand bien, ou pour éviter un plus grand mal. Mais cette réponse s'avère manifestement insuffisante devant « l'horreur absolue ». Dieu a-t-il permis Auschwitz ? Jonas répond lui-même sans détour :

---

35. *Ibid.*, p. 37-38.
36. *Ibid.*, p. 12 et 13.

Pendant toutes les années qu'a duré la furie d'Auschwitz, Dieu s'est tu. [...] Et moi, je dis maintenant : s'il n'est pas intervenu, ce n'est point qu'il ne le voulait pas, mais parce qu'il ne le pouvait pas. Je propose, pour des raisons inspirées par l'expérience contemporaine de façon déterminante, l'idée d'un Dieu qui pour un temps — le temps que dure le processus continué du monde — s'est dépouillé de tout pouvoir d'immixtion dans le cours physique des choses de ce monde ; d'un Dieu qui donc répond au choc des événements mondains contre son être propre, non pas « d'une main forte et d'un bras tendu » — comme nous le récitons tous les ans, nous les Juifs, pour commémorer la sortie d'Égypte — mais en poursuivant son but inaccompli avec un mutisme pénétrant[37].

La négation de la toute-puissance divine apparaît clairement ici dans toute sa signification : Dieu s'est dépouillé de tout pouvoir d'intervention dans l'histoire des peuples comme dans la vie des individus. Deux questions se posent alors, qu'il nous faut considérer attentivement. Une telle conception est-elle encore croyante ? Et puis, cette interprétation n'est-elle pas déjà chrétienne ?

La première question a été soulevée par Franz Josef Wetz, qui interprète le nouveau mythe de Jonas dans le sens de la mort de Dieu : « un Dieu ainsi livré au monde est vraiment un Dieu mort[38] ». Wetz cite alors Lactance, Cicéron et Ambroise, pour montrer qu'un Dieu qui n'est plus secourable, un Dieu qui n'a plus souci du monde, est un Dieu qui n'a plus rien de divin, qui a perdu toute divinité. Et il conclut à propos de Jonas : « Un Dieu qui ne soutient plus le monde, l'histoire et les humains de façon secourable, mais qui se livre et s'abandonne, est pratiquement un Dieu mort[39] ».

Une telle interprétation constitue manifestement une totale incompréhension. Pour commencer, elle contredit une affirmation explicite de Jonas, qui propose « le concept d'un dieu *soucieux* — non pas éloigné, détaché, en lui-même enfermé, mais au contraire impliqué dans ce dont il a le souci[40] ». D'ailleurs, Hans Jonas a lui-même posé la question de façon existentielle, en demandant si, dans le cadre d'une telle conception, la foi pouvait se maintenir, la religion demeurer vivante : « Totale

---

37. *Ibid.*, p. 34-35.
38. F.J. Wetz, *Hans Jonas zur Einführung*, p. 178.
39. *Ibid.*, p. 179.
40. H. Jonas, *Le Concept de Dieu après Auschwitz*, p. 26.

devient la contraction ; c'est entièrement que l'infini, quant à sa puissance, se dépouilla dans le fini, et lui confia ainsi son sort. Reste-t-il encore quelque chose, dès lors, pour une relation à Dieu ? » Et la réponse suit immédiatement, tout aussi claire que paradoxale : « Dieu, après s'être entièrement donné dans le monde en devenir, n'a plus rien à offrir : c'est maintenant à l'homme de lui donner[41] ». Jonas fait alors appel aux « justes des nations », dont la « sainteté cachée est en mesure de compenser une faute innombrable, d'apurer le bilan d'une génération et de sauver la paix du Royaume invisible[42] ». Voilà encore une idée principale qu'il énonçait déjà à propos du souci de Dieu : « Que Dieu porte le souci de ses créatures, voilà qui relève naturellement des principes les plus familiers de la foi juive. Mais notre mythe souligne un aspect moins familier, à savoir que ce Dieu soucieux n'est pas un magicien qui, par le seul acte de son souci, provoquerait simultanément la réalisation du but dont il a le souci : au contraire, il a laissé à d'autres acteurs quelque chose à faire, de sorte que son souci dépend d'eux[43] ». On reconnaît ici le philosophe de la responsabilité humaine. Et il s'agit là, pour Jonas, non pas seulement d'un principe éthique, humanitaire ; la responsabilité comporte manifestement pour lui des connotations religieuses, liées au mandat de la création.

L'autre question qui doit nous retenir est celle du rapport de cette interprétation avec la foi chrétienne. Quand un chrétien lit, dans le mythe de Jonas, que Dieu « a renoncé à son Être propre », qu'il « s'est dépouillé de sa divinité[44] », il ne peut s'empêcher de penser à la *kénose* du Christ, d'après Philippiens 2, 6 : « Lui étant dans la forme de Dieu n'a pas usé de son droit d'être traité comme un dieu, mais il s'est dépouillé prenant la forme d'esclave. » On a vu, en effet, que la théologie chrétienne du Dieu souffrant s'est élaborée en transposant sur la personne du Père l'idée de la *kénose* développée pour rendre compte de l'abaissement du Christ. Mais il y a aussi d'autres traits qui, chez Jonas, rappellent la figure du Christ. Par exemple, « le mystère des "trente-six justes" inconnus, qui d'après la doctrine juive ne doivent jamais manquer au monde pour sa continuation » fait penser au Christ, le *juste* par excellence, qui assure la *rédemption* du monde. Et

41. *Ibid.*, p. 38.
42. *Ibid.*, p. 39.
43. *Ibid.*, p. 26-27.
44. *Ibid.*, p. 15.

la finale de la conférence introduit une idée plus étonnante encore à propos de la question de Job :

> Ma réponse à moi s'oppose à celle du livre de Job : cette dernière invoque la *plénitude* de puissance du Dieu créateur, la mienne son *renoncement* à la puissance. Et pourtant — étrange à dire — toutes deux sont louange : car le renoncement se fit pour que nous puissions être. Même cela, me semble-t-il, est une réponse à Job : à savoir qu'en lui, Dieu même souffre[45].

L'idée de l'autorenoncement est poussée ici à son extrême limite. Dieu se présente désormais comme faible et souffrant dans le monde, identifiant sa cause à celle des petits, des pauvres et des opprimés, souffrant avec eux et en eux. De toute évidence, nous nous retrouvons ici en plein évangile chrétien : le Christ considéré comme la nouvelle figure de Job, en qui Dieu souffre et meurt.

Cet arrimage avec la pensée chrétienne permet aussi de prolonger la théologie de Jonas, en lui apportant certains compléments essentiels. C'est ainsi qu'on pourrait, dans cette perspective, entrevoir ce qu'il advient de la toute-puissance divine. Du fait de l'auto-abaissement de Dieu, celle-ci n'est pas totalement perdue, comme le suppose la thèse de la mort de Dieu. Elle se retrouve plutôt sous une autre forme, dans la forme de l'immanence précisément. La toute-puissance apparaît alors au cœur même de la faiblesse et de la souffrance humaine ; et, dans l'évangile chrétien, son effet a pour nom la « résurrection ». D'ailleurs, dans ce même passage de Philippiens 2, 6-11, à l'idée de la *kénose* et de l'abaissement correspond celle de l'élévation et de la glorification. De plus, Hans Honas laisse entendre — bien discrètement il est vrai — qu'il pourrait y avoir, à la fin des temps, un retour de Dieu à la gloire de sa toute-puissance originelle. Quand il dit, par exemple, que Dieu « s'est dépouillé de sa divinité, afin d'obtenir celle-ci, en retour, de l'odyssée des temps[46] ». Et plus clairement encore, vers la fin de la conférence, quand il propose « l'idée d'un Dieu qui pour un temps — le temps que dure le processus continué du monde — s'est dépouillé de tout pouvoir d'immixtion dans le cours physique des choses de ce monde[47] ».

---

45. *Ibid.*, p. 39-40.
46. *Ibid.*, p. 15.
47. *Ibid.*, p. 34-35.

Il reste que Jonas lui-même récuse tout rapprochement avec la pensée chrétienne d'un Dieu souffrant :

> J'ai parlé d'un dieu *souffrant* — ce qui semble se trouver en contradiction directe avec la représentation biblique de la majesté divine. Naturellement, il y a le sens chrétien de l'expression « dieu souffrant », mais mon mythe n'a pas à être confondu avec cela : il ne parle pas, comme cette formule le fait, d'un acte unique, par lequel la divinité, à un moment déterminé, et dans le but particulier de racheter l'homme, envoya une partie d'elle-même dans une situation de souffrance déterminée (l'incarnation et la crucifixion). Si quelque chose de ce que j'ai dit a un sens, c'est alors le suivant : à savoir que la relation de Dieu au monde implique une souffrance du côté de Dieu *dès l'instant de la création*[48].

Ce que veut dire Jonas est assez clair. Selon la foi chrétienne, telle qu'il l'entend, Dieu ne se trouve pas totalement immergé dans le monde. Il demeure dans sa transcendance céleste d'où il peut intervenir à l'occasion, par exemple dans le miracle de la résurrection, pour sauver son Fils de la mort. Mais notons bien que, ce faisant, Jonas se réfère à un courant déterminé de la pensée chrétienne contemporaine, précisément celui qui refuse l'idée d'une *kénose* de Dieu. Dans une note au texte de Jonas, Catherine Chalier, théologienne juive elle-même, laisse entendre que la pensée chrétienne ne se limite pas à ce point de vue : « L'interprétation par H. Jonas peut être discutée, car la théologie chrétienne ne limite pas ainsi cette souffrance à un moment déterminé[49] ». La question demeure donc ouverte quant à l'autre interprétation, celle que présentent tout spécialement les lettres de Bonhoeffer.

Or justement, dans son commentaire de la conférence de Jonas, Catherine Chalier fait coup sur coup trois références implicites à Bonhoeffer. Quand elle affirme : « La mémoire de ceux, juifs et non juifs, qui résistèrent spirituellement au désastre de la *Choa*, engage en effet à penser Dieu sans le confondre avec un *Deus ex machina* qui défend le faible contre le fort[50] ». Quand elle ajoute que « cette impuissance [de

---

48. *Ibid.*, p. 21-22.
49. *Ibid.*, p. 41-42, note 3.
50. Catherine CHALIER, « Dieu sans puissance », dans H. JONAS, *Le Concept de Dieu après Auschwitz*, p. 63. — Cf. D. BONHOEFFER, *Résistance et soumission. Lettres et notes de captivité*, p. 290 (30 avril 1944) : Les gens religieux parlent de Dieu quand les connaissances humaines (quelquefois par

Dieu] ne s'identifie à une pure et simple inexistence que dans l'esprit de ceux qui cherchent Dieu aux limites, toujours plus lointaines, de leur propre puissance, intellectuelle ou pratique, et non au cœur même de la vie[51] ». Et quand elle conclut que « le Dieu qui, selon la tradition cabaliste surtout, est avec les hommes ne ressemble pas à une puissance qui maîtrise le cours des choses. Ce Dieu leur a dit qu'ils doivent apprendre à vivre sans cette hypothèse rassurante mais infantile[52] ». Nous retrouvons donc Bonhoeffer au terme de notre cheminement, ce qui montre la

---

paresse) se heurtent à leurs limites ou quand les forces humaines font défaut — c'est au fond toujours un *deus ex machina* qu'ils font apparaître, ou bien pour résoudre apparemment des problèmes insolubles, ou bien pour le faire intervenir comme la force capable de subvenir à l'impuissance humaine ; bref, ils exploitent toujours la faiblesse et les limites des hommes. » — Voir encore *ibid.*, p. 367 (16 juillet 1944) : « Voilà la différence décisive d'avec toutes les autres religions. La religiosité de l'homme le renvoie dans sa misère à la puissance de Dieu dans le monde, Dieu est *le deus ex machina*. La Bible le renvoie à la souffrance et la faiblesse de Dieu ; seul le Dieu souffrant peut aider. »

51. C. CHALIER, dans *Le Concept de Dieu après Auschwitz*, p. 63. — Cf. D. BONHOEFFER, *Résistance et soumission*, p. 322 (29 mai 1944) : « Nous avons à trouver Dieu dans ce que nous connaissons et non pas dans ce que nous ignorons. Dieu veut être compris par nous non dans les questions sans réponse, mais dans celles qui sont résolues. Ceci est valable pour la relation de Dieu et la connaissance scientifique, mais également pour les problèmes simplement humains de la mort, de la souffrance et de la faute. Aujourd'hui, il existe des réponses humaines à ces questions qui peuvent faire abstraction de Dieu. En fait — et ç'a été ainsi de tout temps — les hommes arrivent à résoudre ces questions sans Dieu et il est faux de prétendre que le christianisme seul en connaît la solution. Les réponses chrétiennes ne sont ni plus ni moins convaincantes que d'autres solutions possibles. Ici non plus, Dieu n'est pas bouche-trou ; il doit être reconnu non à la limite de nos possibilités, mais au centre de notre vie. Dieu veut être reconnu non dans la mort seulement, mais dans la vie, dans la force et la santé et non seulement dans la souffrance, dans l'action et non seulement dans le péché. »

52. C. CHALIER, dans *Le Concept de Dieu après Auschwitz*, p. 65. — Cf. D. BONHOEFFER, *Résistance et soumission*, p. 336 (8 juin 1944) : « L'homme a appris à venir à bout de toutes les questions importantes sans faire appel à "l'hypothèse Dieu". Cela va de soi dans les questions scientifiques, artistiques et même éthiques, et personne n'en doute ; depuis environ cent ans, ceci est de plus en plus valable pour les questions religieuses elles-mêmes ; il apparaît

convergence d'une pensée juive et d'une pensée chrétienne qui, au coeur d'une même situation tragique, reconsidèrent leur foi en Dieu.

IV. Conclusions

1. Le déplacement de la conscience chrétienne qui va du Pantocrator au Crucifié marque bien la situation religieuse présente. Une affirmation purement positive et naïve de la toute-puissance divine n'est plus possible hors de l'expression religieuse immédiate de la foi. Dès qu'intervient la réflexion théologique, on sent le besoin d'introduire des précisions, des nuances, des distinctions. Le Dieu tout-puissant ne peut plus être considéré comme quelqu'un qui peut faire tout ce qu'il veut. L'affirmation du Pantocrator doit être purifiée de toute connotation impériale. En somme, la confession de la toute-puissance ne peut plus se faire en dehors de son contexte judéo-chrétien. Ce contexte apporte alors une rectification critique au texte même du premier article du Credo chrétien.

Intervient donc ici un premier élément de réflexion critique. Et cette première critique de l'idée de toute-puissance est de nature biblique. Les Écritures juives aussi bien que chrétiennes présentent, en effet, une nouvelle image du Dieu tout-puissant, fortement modifiée par le contexte de l'alliance et de l'histoire du salut. C'est là-dessus qu'insiste Jean-Pierre Batut. D'autres études vont dans le même sens, parmi lesquelles je dois signaler le récent ouvrage d'Étienne Babut, au titre éloquent : *Le Dieu puissamment faible de la Bible*. L'auteur, pasteur de l'Église réformée, ne craint pas les paradoxes, on le voit bien. Il se réclame ouvertement de Bonhoeffer ; il inclut Hans Jonas dans sa bibliographie et il semble bien partager son point de vue, si l'on en

---

que tout va sans "Dieu" aussi bien qu'auparavant. Tout comme dans le domaine scientifique, "Dieu", dans le domaine humain, est repoussé toujours plus loin hors de la vie ; il perd du terrain. » — Voir aussi *ibid.*, p. 366-367 (16 juillet 1944) : « Le Dieu qui nous laisse vivre dans le monde, sans l'hypothèse de travail Dieu, est celui devant qui nous nous tenons constamment. Devant Dieu et avec Dieu, nous vivons sans Dieu. Dieu se laisse déloger du monde et clouer sur la croix. Dieu est impuissant et faible dans le monde, et ainsi seulement il est avec nous et nous aide. Matthieu 8, 17 indique clairement que le Christ ne nous aide pas par sa toute-puissance, mais par sa faiblesse et ses souffrances. »

croit sa conclusion intitulée : « Libérer Dieu du masque de la toute-puissance »[53]. Il reste que Babut ne prétend pas faire autre chose que retracer l'image biblique de Dieu.

2. Il en va tout autrement de Hans Jonas lui-même. Bien sûr, celui-ci se situe résolument dans la tradition juive et il tient à montrer la continuité, la communauté d'esprit qui le relie aux auteurs bibliques. Mais il fait voir tout aussi clairement les ruptures qu'il se doit d'opérer. Dès le départ, il propose un nouveau mythe de la création, bien différent des récits de la Genèse. Et sa conclusion n'est pas moins radicale : « Ma réponse à moi s'oppose celle du livre de Job : cette dernière invoque la *plénitude* de la puissance du Dieu créateur, la mienne son *renoncement* à la puissance[54] ». Tel est précisément le point crucial qui divise les positions. Le Dieu de l'alliance biblique bouleverse toutes les images reçues de la divinité, mais il reste transcendant, il demeure « Seigneur de l'histoire ». Pour sa part, Hans Jonas propose l'image d'un Dieu dépouillé de toute transcendance, totalement immanent au monde. Un Dieu si différent que plusieurs croyants ne le reconnaîtront plus.

D'où peut bien venir cette idée ? Jonas répond tout aussi directement et clairement : « Je propose, pour des raisons inspirées par l'expérience contemporaine de façon déterminante, l'idée d'un Dieu qui [...] s'est dépouillé de tout pouvoir d'immixtion dans le cours physique des choses de ce monde[55] ». Toute la différence vient donc de la situation d'où il parle. Son concept de Dieu vient directement d'Auschwitz. Voilà bien une théologie qui accorde toute son importance au pôle de la situation. Celle-ci n'est plus simplement le lieu — ou le langage — où se trouve reçu et traduit le message de la révélation. C'est l'événement, le remous des eaux profondes où s'engouffre la foi, où elle meurt pour reprendre vie et réapparaître sous une forme nouvelle.

Tillich, dans sa *Théologie systématique*, a bien formulé cette corrélation du *message* de la révélation et de la *situation* historique. Mais il est loin d'en avoir montré toute la portée révolutionnaire, même s'il le laisse soupçonner avec des concepts comme « *Ultimate Concern* »

---

53. Étienne BABUT, *Le Dieu puissamment faible de la Bible* (lire la Bible, 118), Paris, Éditions du Cerf, 1999, p. 135-137.
54. H. JONAS, *Le Concept de Dieu après Auschwitz*, p. 39.
55. *Ibid.*, p. 34-35.

et « *Ground of Being* » (une expression reprise par Jonas au début de son mythe). Troeltsch est beaucoup plus clair là-dessus. Il ne craint pas d'affirmer la rupture tout autant que la continuité de sa théologie avec celle de la Bible : « L'importance de la Bible vient du fait qu'elle contient les premiers documents historiques. Le présent va toujours mesurer ses valeurs à son aulne, mais elle ne sera plus considérée comme "inspirée". La Bible ne sera donc plus la limite indépassable du christianisme. Elle va seulement conduire et féconder un développement qui va lui-même mener bien au delà[56] ». Troeltsch peut donc avouer que « le christianisme d'aujourd'hui n'est plus celui de la Bible[57] », même s'il s'enracine toujours en elle. Voilà bien jusqu'où conduit la corrélation du message et de la situation. La conférence de Hans Jonas me semble la plus belle illustration de ce type de théologie.

3. La lecture de Hans Jonas nous invite enfin à considérer les apports mutels de la pensée juive et de la pensée chrétienne sur cette question de la *kénose* de Dieu. Je serais porté à dire ici que le texte de Jonas oblige la foi chrétienne à ouvrir ses horizons dans le sens de la *protologie* (la doctrine de la création), tandis que le dogme chrétien force le mythe de Jonas à se prolonger dans le sens de l'*eschatologie* (la doctrine du salut final).

Jonas interpelle la théologie chrétienne quand il constate qu'elle limite la souffrance de Dieu à un moment particulier de l'histoire, celui de la vie du Christ, alors que son mythe « implique une souffrance du côté de Dieu *dès l'instant de la création*[58] ». Là-dessus Catherine Chalier apportait une nuance en citant Pascal (*Pensées* 736) : « Jésus sera en agonie jusqu'à la fin du monde ; il ne faut pas dormir pendant ce temps-là[59] ». Mais on pourrait prolonger encore, dans le sens de la protologie, en disant que Jésus est en agonie depuis le début du monde. Telle est précisément la thèse de Gérard Siegwalt : « Il y a une *theologia crucis* non seulement depuis Golgotha ou, d'une manière plus générale, depuis l'incarnation du Logos, mais depuis le commencement du monde, depuis qu'il y a des hommes qui ne reçoi-

---

56. E. Troeltlsch, *Glaubenslehre* (1925), Scientia Verlag Aalen, 1981, p. 9-10.
57. *Ibid.*, p. 27 : « das heutige Christentum ist nicht dasjenige der Bibel. »
58. H. Jonas, *Le Concept de Dieu après Auschwitz*, p. 22.
59. *Ibid.*, p. 42, note 3.

vent pas la lumière qui est celle de la vie, principe de toutes choses[60] ». Cette thèse « que le Logos rédempteur est crucifié depuis l'origine », Siegwalt l'appuie sur Apocalypse 13, 8 dans son énoncé littéral, où il est parlé de « l'agneau immolé dès la fondation du monde[61] ». Cela concerne directement notre question du rapport entre le premier et le deuxième article du Credo. On ne peut plus l'entendre comme l'expression de deux moments historiques différents dans les relations entre Dieu et l'humanité. C'est du rapport intrinsèque entre la création et la rédemption du monde dont il s'agit. Et comme nous y invite encore Siegwalt dans son récent traité de la création, on doit le comprendre comme l'affirmation dialectique d'un unique mystère divin, dans son double aspect de transcendance et d'immanence : « il faut affirmer à la fois la permanence de Dieu par-delà l'impermanence du réel créé et l'advenir de Dieu dans sa création — sa présence à sa création — qui donne à celle-ci sa consistance[62] ».

Nous avons vu par ailleurs que la foi chrétienne en la résurrection et au retour glorieux du Christ permettait de prolonger la pensée de Jonas en lui apportant certains compléments essentiels : la présence active de la toute-puissance au cœur de l'immanence souffrante sous la forme d'une victoire sur la mort (la résurrection), ainsi qu'un retour final (eschatologique) de Dieu à la gloire de sa toute-puissance originelle. Mais la question se pose alors : la croyance à la résurrection et au Royaume final est-elle compatible avec la thèse d'une totale immanence de Dieu, ou bien suppose-t-elle — pour utiliser le langage de Jonas — une partie de Dieu « préservée, immunisée, en état de diriger, de corriger, finalement de garantir depuis l'au-delà l'oblique formation de son destin au sein de la création[63] » ?

Bonhoeffer a bien perçu la difficulté : « On prétend qu'il est décisif que, dans le christianisme, l'espérance de la résurrection soit annoncée et qu'ainsi naisse une véritable religion de la rédemption. Tout le poids est donc sur l'au-delà de la mort. [...] Je le conteste.

---

60. Gérard SIEGWALT, *Dogmatique pour la catholicité évangélique*, I/1, Paris/Genève, Cerf/Labor et Fides, 1986, p. 89.
61. *Ibid.*, p. 90.
62. G. SIEGWALT, *Dogmatique pour la catholicité évangélique*, III/2, Paris/Genève, Cerf/Labor et Fides, 2000, p. 397.
63. H. JONAS, *Le Concept de Dieu après Auschwitz*, p. 14.

L'espérance chrétienne de la résurrection se distingue en ceci de l'espérance mythologique qu'elle renvoie l'homme, d'une manière toute nouvelle et plus pressante que l'Ancien Testament, à la vie sur la terre[64] ». En somme, toute la question est de savoir de quelle transcendance il s'agit quand on parle de résurrection. Là encore, Bonhoeffer est bien clair quand il exclut toute transcendance de type supranaturaliste : « La foi en la résurrection *n'est pas* la solution du problème de la mort. "L'au-delà" de Dieu n'est pas l'au-delà de notre entendement. La transcendance théoriquement perceptible n'a rien de commun avec celle de Dieu. Dieu est au centre de notre vie tout en étant au-delà[65] ».

Bonhoeffer parle dans et à partir de la même situation que Jonas. Son interprétation de la foi chrétienne à la résurrection semble pleinement conforme au principe d'immanence tel que l'entend ce dernier. Avec cette différence toutefois que Jonas marque bien la rupture avec les croyances juives traditionnelles, tandis que Bonhoeffer laisse entendre qu'il ne fait que retrouver le sens initial de l'évangile de la résurrection. Il importe de clarifier la question en terminant. L'affirmation de la totale immanence de Dieu dans la création, le refus de toute transcendance supranaturaliste, ne compromet aucunement la foi au mystère de la résurrection, en tant qu'expression d'une transcendance divine au cœur même de l'immanence. Mais, de toute évidence, cela exclut la croyance au miracle de la résurrection corporelle, une telle croyance supposant nécessairement le maintien d'un Dieu transcendant, immunisé contre toute atteinte du devenir cosmique et de la souffrance humaine. Or il ne fait pas de doute que telle était bien la croyance des premières générations chrétiennes. On comprend dès lors que les chrétiens soient aujourd'hui divisés sur cette question du Pantocrator et du Crucifié, plusieurs refusant encore d'admettre une véritable *kénose* de Dieu.

---

64.   D. BONHOEFFER, *Résistance et soumission. Lettres et notes de captivité*, p. 347-348 (27 juin 1944).
65.   *Ibid.*, p. 290-291 (30 avril 1944).

RÉSUMÉ

Sur la question des rapports entre le Pantocrator (le premier article des anciens Symboles chrétiens) et le Crucifié (le deuxième article), nous présentons d'abord deux options bien différentes de théologiens contemporains : l'une qui souscrit à la thèse d'une « kénose » de Dieu (le Dieu crucifié), l'autre qui la refuse. Nous proposons ensuite nos propres vues, en suivant la ligne de pensée de Hans Jonas dans son « Concept de Dieu après Auschwitz ». Finalement, nous indiquons ce que la croyance chrétienne à la résurrection peut apporter à la thèse de Jonas et, réciproquement, comment la critique radicale de ce dernier peut aider à concevoir une foi non supranaturaliste en la résurrection.

ABSTRACT

On the question of the relationship between the Pantocrator (the first article of the ancient Christian creeds) and the Crucified (the second article), we first present here two different visions of contemporary Christian theologians: one which agrees with the idea of God's kenosis (the crucified God), the other which refuses it. Then we set forth our own position with the linc of thought of Hans Jonas' concept of God after Auschwitz. Finally, we indicate how the Christian belief in the resurrection may help to further Jonas' views, while Jonas' sharp criticism should help Christians to conceive a non supranaturalist faith in the resurrection.

Théologiques 8/2 (2000) 77-97

Je crois en Dieue...
La théologie féministe et la question du pouvoir

Louise MELANÇON
Faculté de théologie,
d'éthique et de philosophie
Université de Sherbrooke

Que la référence à « Dieu »[1] se fasse dans un contexte de pouvoir, il n'y a rien là de surprenant puisque le pouvoir est une réalité humaine comme toutes les autres, au même titre que le désir, la peur, ou l'amour. Plusieurs discours théologiques de la fin du XXe siècle ont exprimé la défaite de l'illusion qui veut que les langages religieux échappent au monde réel. Quand les êtres humains se représentent « Dieu », il devient un objet humain et culturel, comme les autres, même si c'est juste pour nommer une quête de transcendance ou une foi en l'Invisible.

La plupart des théologies féministes ont, à cet égard, suivi l'exemple des théologies de la libération, pour dénoncer les effets négatifs d'un discours religieux produit dans le contexte d'un pouvoir oppresseur et proposer une ou des images plus libératrices de « Dieu ». Dans les pages qui suivent, je ferai en sorte de montrer quelle conception du pouvoir se trouve mise en lumière par les discours sur Dieu venant des théologies féministes. Pour ce, après quelques préalables (I) concernant la notion de pouvoir, j'aborderai (II) la critique féministe du pouvoir patriarcal social et religieux ; puis, je ferai voir (III) l'application qui en est faite dans les théologies féministes, quand elles réfléchissent sur l'objet « Dieu », que ce soit dans un discours critique ou dans un essai de re-nommer ou de re-présenter le divin de manière positive

---

1. J'indique ici par les « » le mot qui renvoie à la Réalité mystérieuse.

pour les femmes. Je terminerai (IV) par quelques prolongements en forme de questionnement.

I.   Quelques préalables sur la notion de pouvoir

1. Notions séculières

Le pouvoir est d'abord et avant tout une capacité d'agir, une faculté de faire quelque chose, une habileté qui permet d'atteindre des buts. Idéalement, ce serait une force qui agirait en réciprocité, une énergie de collaboration entre les divers membres ou acteurs d'une société. On y a joint couramment la notion d'autorité. Dans les faits, cette réalité s'est inscrite dans une organisation sociale de type hiérarchique qui « autorisait » un chef, roi, empereur, seigneur ou gouvernement, à exercer son pouvoir en restreignant plus ou moins celui des autres. Il s'agit alors d'un pouvoir de domination *sur* les autres. Le pouvoir peut cependant s'appuyer sur un ascendant, un prestige, un charisme qui agit par influence plutôt que par des moyens inscrits dans une institution et par des lois. On pourrait alors parler d'un pouvoir non formel accompagné d'une autorité morale qui agit non moins réellement que le pouvoir institutionnel.

2. Notions religieuses

Dans le champ religieux, cette réalité du pouvoir existe tout autant, fonctionne de la même manière, mais s'appuie généralement sur une croyance en un Être dont la puissance est absolue. Ce Tout-Puissant donne ou confère des pouvoirs qui permettent à certaines personnes de participer à sa puissance à divers degrés, et ainsi d'agir en son nom[2]. Il y a alors « sacralisation » du pouvoir. Dans le judaïsme, la puissance du Dieu Créateur a été expérimentée d'abord en relation avec des actes libérateurs pour le peuple. Seul Dieu est puissant. L'autorité humaine est subsidiaire à celle de Dieu et conçue comme un service. Elle fut d'ailleurs peu à peu établie en référence à la sagesse plutôt qu'à la puissance des armées. Quant au christianisme, il est né d'une expérience de foi en Jésus, le Serviteur de Dieu, qui s'est abandonné dans l'impuissance sur une croix.

---

2.   Du moins dans les religions théistes ou monothéistes.

Cependant, assez rapidement, les chrétiens ont dû se situer par rapport au pouvoir politique. Chez les Pères de l'Église, on remarque aisément l'influence de la politique romaine : « La régulation de l'unité par la centralisation a influencé d'abord au niveau biblique et pastoral, mais bientôt également au niveau juridique, la théorie de l'autorité de l'évêque[3] ». Ignace d'Antioche, le premier, exprimera une vision centraliste et cléricale de l'Église, en faisant de l'évêque le représentant du Dieu unique. Cette conception hiérarchique au service de l'unité harmonieuse des composantes de la société donnera lieu à la théorie des deux pouvoirs, le temporel et le spirituel, qui, en Occident, présidera au développement du christianisme.

Par contre, la critique des pouvoirs injustes déjà très présente dans le judaïsme par l'intermédiaire des prophètes, et ensuite dans la vie de Jésus, continuera de se faire de diverses manières, au cours des siècles. La vie monastique, particulièrement selon Benoît, proposera un modèle de réforme de l'Église, en ce que l'abbé n'est pas un seigneur, ni un évêque, et que tous sont frères — ou sœurs — au sein d'une communauté. Mais jusqu'à nos jours, cela restera un signe de contestation, plus ou moins visible, et sans réel effet sur le modèle ecclésiastique.

II. Critique féministe du pouvoir patriarcal

1. *Dans les sociétés*

Les discours féministes, surtout au cours des années 1960-70, ont mis en lumière, en le qualifiant de « patriarcal », le pouvoir exercé *sur* les femmes dans nos sociétés. On dénonçait pour le moins une asymétrie du pouvoir entre les hommes et les femmes, sinon un pouvoir de domination jugé destructeur et oppresseur[4]. Au départ, dans le sens strict, le patriarcat veut dire « la règle du père » : il s'agit d'un système de relations sociales où les chefs de famille, des mâles, règnent sur l'ensemble des personnes dépendantes qui en font partie. À l'époque classique, par exemple, dans les sociétés hébraïques, grecques et romaines, les personnes dépendantes sont les épouses, les filles non

---

3. *Nouveau dictionnaire de théologie*, Paris, Cerf, 1996, p. 60, 2ᵉ col.
4. *Dictionary of Feminist Theologies* (Letty Russell & J. Shannon Clarkson editors), Westminster John Knox Press, Louisville, Kentucky, 1996, p. 220.

mariées, les fils encore dépendants, et les esclaves aussi bien hommes que femmes. Le *paterfamilias* possède ainsi sa famille comme il possède sa terre et son troupeau. Mais alors que les fils deviendront autonomes et que même les esclaves masculins pourront être affranchis, les femmes, comme épouses, filles ou veuves, seront soumises au nom de leur sexe et les femmes esclaves pourront être abusées physiquement et sexuellement, au nom de cette propriété patriarcale[5].

Ce système de domination a pris place, dans l'histoire humaine, il y a des millénaires. De plus en plus d'études archéologiques, ethnologiques et anthropologiques arrivent à situer l'origine du patriarcat, de manière à la considérer comme un fait historique et non une « chose naturelle ». Les principales hypothèses indiquent le passage du monde de l'agriculture à celui de l'urbanisation, les déplacements des populations et les invasions, comme étant déclencheurs à la fois des guerres et de la montée du patriarcat[6]. Ce système a certes connu une évolution, pris diverses formes, selon les lieux géographiques ainsi que les contextes sociaux et culturels. Dans nos sociétés modernes, suite aux luttes et révolutions socialistes et à l'arrivée de régimes politiques plus démocratiques, les femmes ont pu sortir de leur exclusion et obtenir des droits égaux à ceux des hommes. Mais ce mouvement, plutôt récent dans l'histoire humaine (les XIXe et XXe siècles), n'a pas encore atteint tous les coins du monde.

Et même dans des sociétés dites avancées comme les nôtres, les femmes continuent d'être des travailleuses domestiques non rémunérées et les premières responsables de l'éducation des enfants. Dans le monde du travail aussi, malgré des progrès certains, leur accès à l'égalité reste encore limitée.

Cependant, peu à peu, à l'intérieur même du mouvement des femmes, des malaises, des contestations et des divisions révèlent la présence du pouvoir de domination chez les femmes elles-mêmes. Les différences de classes sociales et de races existent aussi parmi les femmes de telle façon que dans une société où les hommes blancs dominent, les femmes blanches participent à ce pouvoir *sur* les femmes

5.   *Idem, op. cit.*, p. 205.
6.   Dans son introduction à *Women in World religions* (ed. Arvind Sharma), State University of New York Press, 1987 : Katherine K. Young se réfère à deux ouvrages auxquels nous reviendrons plus loin.

d'autres races ou couleurs. Une révision de l'analyse féministe du pouvoir patriarcal a suivi cette prise de conscience venue de l'interpellation de celles qui sont victimes, à divers titres, de l'oppression patriarcale. On a remis en question la manière essentialiste et dualiste de concevoir le patriarcat comme un pouvoir des hommes sur les femmes, en fonction du genre seulement, et comme si celles-ci n'étaient que des individus et non des membres de la société[7].

De même, avant le patriarcat, il n'y avait pas une situation idyllique, comme certaines féministes l'ont parfois laissé entendre. Le pouvoir des femmes pouvait être prééminent dans les sociétés primitives, bien que ce qu'on appelle le « matriarcat » n'est pas à comprendre comme l'équivalent du patriarcat. Le pouvoir des femmes de porter un enfant, d'en accoucher, de l'allaiter fut sans doute considéré comme un énorme pouvoir, un pouvoir sacré, pouvoir sur la vie et la mort, et sans doute aussi comme un pouvoir menaçant à l'égard des hommes. Mais en même temps, ces fonctions maternelles limitaient les actions des femmes[8].

Le mouvement moderne des femmes, en voulant déconstruire les relations de pouvoir pour transformer les valeurs et institutions sociales, a mis de l'avant une conception du pouvoir qui vient de l'intérieur, qui permet aux femmes de reconnaître et d'apprécier leurs talents et responsabilités, un pouvoir (« empowerment ») qui consiste à développer sa force et son influence pour son bien-être et celui de tous, au plan personnel, interpersonnel autant que socio-économique et politique. Au lieu d'être un moyen de contrôler les autres, de leur enlever leur propre pouvoir, cette conception de l'« empowerment » donne d'agir avec efficacité dans une perspective de transformation, par la collaboration avec les autres. C'est une énergie créatrice qui nourrit, qui accomplit les personnes tout autant qu'elle combat les oppressions[9].

En dévoilant la participation des femmes au pouvoir de domination, la réflexion féministe en est ainsi venue à développer l'intégration du pouvoir et de la différence. Cette compréhension amène une

---

7. *Dictionary of Feminist Theologies, op. cit.*, p. 220.
8. *Dictionary of Feminist Theologies, op. cit.*, p. 220.
9. On a compare cette énergie au pouvoir érotique. *Cf.* la poète afro-américaine Audre Lorde, dans *Dictionary of Feminist Theologies, op. cit.*, p. 83-84.

reprise de la solidarité entre les femmes, nommée la sororité, dans une perspective de mutualité et de relationnalité.

2. Dans les religions

Si le patriarcat est une réalité sociale née à un moment particulier de l'évolution des sociétés humaines, il a été en même temps une réalité religieuse. La majorité des religions sont nées et se sont développées dans le contexte du patriarcat[10]. Mais si elles ont des traits communs concernant la subordination des femmes, elles comportent aussi des différences[11].

L'autorité masculine et le pouvoir ne concordent pas toujours. Par exemple, même si l'homme représente l'autorité dans la famille, c'est la femme qui a le pouvoir réel dans le domaine domestique. Ou les femmes n'ont pas la même référence religieuse que les hommes. Ou bien encore, si les femmes sont exclues du domaine religieux, c'est pour d'autres raisons que la misogynie, et parfois, il y a une exclusion parallèle des hommes par rapport à certaines activités religieuses. Cette variété de situations observables au cours des siècles, selon les lieux géographiques ou les contextes culturels, a donné lieu à des représentations variées de la transcendance : dieux, déesses et êtres androgynes, dans un être unique ou dans une dualité, ou encore comme ce qui est au-delà de toute forme, tout genre ou tout nombre.

Cependant, il y a des traits communs à toutes les religions patriarcales. Dans les sociétés tribales, on organisait les rôles sexuels généralement de manière harmonieuse, dans la complémentarité des différences. Le patriarcat a élargi l'écart entre les sexes. Des recherches[12] se sont poursuivies à partir de l'hypothèse que la domination masculine s'est développée dans les religions tribales dans des conditions précises, a savoir : une ouverture our l'extérieur, la séparation

---

10. Elizabeth A. JOHNSON, *Dieu au-delà du masculin et du féminin* (trad. de l'américain de *She Who Is*), *Cogitatio fidei* 214, Cerf, Paris 1999, pp 398-410.
11. L'ouvrage mis en référence plus haut, édité par Sharma et introduit par K. Young, *Women and World Religions*, est une source intéressante pour traiter de cette question.
12. K. YOUNG, *op. cit..* Peggy Reeves Sanday avance cette explication dans son livre *Female Power and Mal Dominance : On the Origins of Sexual Inequality*, London, Cambridge University Press.

des sexes et une situation de stress. Que ce soit la chasse aux grands animaux ou la guerre contre des envahisseurs, ces situations auraient exacerbé la séparation des sexes, contrairement à une symétrie des rôles dans les tribus primitives en temps de paix. Selon Élie Sagan[13], le développement d'une domination masculine extrême (qu'on remarque d'ailleurs dans la période de formation du judaïsme, du brahmanisme et du confucianisme) serait relié à une situation de stress en temps de guerre et ensuite, au moment de la construction des royautés[14]. Ces sociétés développent un système social ordonné de manière hiérarchique et une orientation religieuse de type sacrificiel[15].

Sagan compare ce phénomène social à celui du développement de l'enfant, selon la perspective psychanalytique. L'enfant doit, pour accéder à son individualité, se séparer de sa mère. Cela se fait dans l'ambiguïté et l'anxiété ; il y a à la fois la peur d'être englouti dans la mère et l'insécurité de se trouver séparé d'elle. Pour résoudre son conflit, l'enfant se tournera vers le père[16]. Dans les sociétés tribales, les rites de l'initiation des garçons jouaient ce rôle. À l'époque des guerres, du développement des royautés, la solidarité masculine emprunte le modèle violent de domination du roi sur les autres pour soumettre les femmes sur lesquelles on projette la menace du pouvoir maternel :

> ...the male bonding that ultimately brings us tyranny against children, women, and deprived classes has its genesis at this moment. Fearing the mother's power to re-engulf not only their individuality but also their unique maleness, fathers and sons join together to make females harmless through degradation...[17]

---

13. K. YOUNG, dans le livre ci-haut cité, utilise aussi les thèses de Élie Sagan, dans *At the Dawn of Tyranny : the Origins of Individualism, Political Oppression, and the State*, New York, Alfred Knopf.
14. *Ibid.*, p. 9 : "Sagan's thesis is that societies pass through a state of development from the social cohesion provided by kinship and the confederation of tribes to a centralized monarchy, which is organized by loyalty to the king on fear of his power to oppress."
15. Selon Sagan, on trouve l'équivalent dans les traditions: indiennes, polynésiennes ou africaines.
16. Il s'agit ici de l'enfant mâle. K. Young fait la remarque que la fille, demeurant dans le domaine de la mère, ne suit pas la même évolution. *Cf. op. cit.* p. 13.
17. K. YOUNG, *op. cit.*, p. 12-13.

Les femmes, sans la sphère domestique, n'ont pas à se battre ; elles se consacrent à la vie. Les hommes, pour défendre la vie, tuent. Ils peuvent éprouver de l'envie pour le rôle des femmes dans la protection de la vie ; aussi la patrilinéarité leur permettra d'avoir le contrôle sur la famille. Cette asymétrie des rôles dans la subordination des femmes permet une certaine complémentarité : les femmes, en retour, sont protégées physiquement et économiquement. Cependant, le contrôle absolu sur les femmes comprenait la monogamie pour celles-ci, alors que les hommes, eux, jouissaient de la polygamie et de la prostitution : « this split in attitudes of women and the tension between chastity and sexual license characterize much of the history of patriarchal religions[18] ».

Le développement d'un tel système de domination patriarcale a eu des conséquences sur la représentation de la déité notamment celle-ci: la transcendance est vue en dehors du cosmos. Dans une monarchie absolue, « Dieu » est le Tout-Puissant même s'il garde et protège son peuple, comme un Père. Dans les religions universelles, Il est le Créateur qui domine sa Création ; mais par rapport aux religions éthiques, l'accent sera mis sur l'individu et son expérience plutôt que sur le corps social, lequel est fondé sur un corps doctrinal. Par ailleurs, la plupart des religions ont une sotériologie inclusive : elles prônent l'égalité des hommes et des femmes. Ce qui explique que malgré la domination d'un Dieu mâle, les femmes ont pu vivre et exprimer leur spiritualité.

3. *Dans le christianisme*

L'histoire du christianisme est traversée par un conflit entre deux visions : l'une qui affirme l'égalité de l'homme et de la femme par rapport au salut, et l'autre qui définit les femmes comme subordonnées aux hommes, aussi bien sur le plan ontologique que sur le plan social[19]. Héritière des religions patriarcales, des modèles culturels venant des philosophies grecque et romaine aussi bien que de la loi juive, la religion chrétienne aura une influence décisive sur l'Occident autant pour la situation des femmes que pour la conception de « Dieu ».

---

18.   K. YOUNG, *op. cit.*, p. 15.
19.   Rosemary RADFORD RUETHER, *Christianity*, dans K. YOUNG, *op. cit.*, p. 208 ss. *Cf.* de son ouvrage: *Women and Redemption. A theological History*, Fortress Press, Minneapolis, 1998.

Cette double vision, qu'on trouve dans des textes de Paul relisant la Genèse, s'est articulée dans une théologie de la subordination où la domination masculine correspond à l'ordre de la création, à la volonté de Dieu, alors que, dans la perspective du salut, les femmes en sont l'objet, à condition de sortir de leur condition « d'Ève péche-resse», d'être des mères soumises à la loi de leurs pères et maris, ou des « vierges » vivant comme des hommes, c'est-à-dire en dehors de leur condition d'épouse et de mère selon la chair. Ce dualisme, qui s'ajoute à la vision conflictuelle, s'appuie sur la foi en un « autre monde » supérieur à celui-ci. Augustin ira même jusqu'à dire que la femme, à cause de son corps, n'est pas à l'image de Dieu comme l'homme ; et elle ne peut donc accéder « aux ordres sacrés » pour représenter le Christ. Au Moyen Âge, Thomas d'Aquin, en reprenant Aristote, don-nera un appui à l'infériorisation des femmes ; il les trouvait biologi-quement « défectueuses » par rapport à la semence mâle. La subordination des femmes au pouvoir masculin est ainsi fortement ancrée dans le christianisme et la dévaluation de l'être féminin s'ajoute à son infériorisation sociale. La domination du pouvoir reli-gieux, sacré dans le christianisme, est dorénavant bien établie. Les mouvements marginaux, d'ailleurs vite jugés non orthodoxes, seront des lieux sans influence pour le pouvoir féminin. Et la vie monastique elle-même, malgré ses résistances, sera bien encadrée par le pouvoir patriarcal.

Cette théologie de la subordination des femmes sert de modèle pour celle concernant les esclaves, ou les autres races. Elle révèle et justifie à la fois une conception patriarcale de « Dieu ».

> God is typically imaged as a patriarchal father and Lord. The patriar-chal hierarchies of male over female, father over children, and master over slave are reduplicated symbolically in the relation of God and Christ to the Church, as father to sons, lord to servants, and bridegroom to bride. The image of Christ as head of the church, which is his body reduplicates the legal view in which the wife lacks her own "head" (self-direction) and belongs as body to her husband.[20]

Pourtant, l'expérience originaire décrite dans les évangiles semble plus proche d'un autre modèle. Jésus avait des affinités avec le mou-

---

20. Rosemary. R. RUETHER, *Dictionary of Feminist Theologies*, *op.cit.*, p. 206.

vement prophétique pour annoncer une bonne nouvelle aux pauvres, contester l'exclusion des marginaux, particulièrement les femmes, de la religion juive et patriarcale de son temps. Il défait l'absolu des hiérarchies : le premier sera le dernier, le maître essuie les pieds de ses disciples... Il rétablit les êtres dans leur dignité : les enfants, les prostituées... Il partage sa table avec tous — ou s'invite à la table des pécheurs... Il parle d'un Père-Abba, tout proche, dans ce contexte de tendresse et de compassion pour tous... Ses disciples vivent dans son intimité, aussi des femmes... non seulement il les initie à ses pouvoirs, il en fait aussi ses amis et amies... Il relativise la famille et permet à des femmes de sortir de la sphère domestique.

Mais un mouvement de « patriarcalisation » va par la suite remplacer le « mouvement de Jésus », comme l'a montré Schüssler-Fiorenza[21] : ce qui a « couvert » la réalité d'une *ekklésia* à l'origine bien autre que l'assemblée élitiste de la démocratie grecque ou bien autre que l'Église masculine et dominante, celle des églises domestiques des premiers chrétiens et chrétiennes.

III. Quand des femmes disent Dieue

1. *Au-delà du Dieu Père*

Au début des années 1970, quand Mary Daly[22] titrait son livre, elle s'inscrivait dans un tournant (plus) radical du mouvement des femmes. Jusqu'à ce moment, les femmes travaillaient à réclamer la justice et l'égalité par la revendication de leurs droits, l'accession au monde des hommes. Il s'agissait maintenant d'aller aux causes, aux racines du mal : le sexisme inscrit dans le système patriarcal qui se transmet, se maintient par le processus de socialisation des rôles sexuels. Et la religion patriarcale fait partie des idéologies qui cachent la réalité de « la caste sexuelle » en prétendant que c'est naturel, que c'est conforme à la

---

21. Elisabeth SCHÜSSLER-FIORENZA, *En mémoire d'elle* (trad. de l'américain), *Cogitatio Fidei 136*, Cerf, Paris, 1986. Plus tard, Schüssler-Fiorenza parlera de « kyriarchie » dans *Jesus, Myriam's Child, Sophia's Prophet*, Continuum, New York, 1994, p. 12 ss.
22. *Beyond God the Father. Toward a philosophy of women's liberation*, Beacon Press, Boston, 1974.

volonté divine[23]. Pour Mary Daly, cette prise de conscience exige du courage de la part des femmes parce qu'elles doivent sortir de leur aliénation :

> This is the courage to see and to be in the face of the nameless anxieties that surface when a woman begins to see through the masks of sexist society and to confront the horrifying fact of her own alienation from her authentic self (p. 4).

Démasquer cette situation et travailler sur les représentations, les symboles, les langages, voilà ce qui permettra aux femmes de se réapproprier leur pouvoir comme être humain, à savoir : se nommer, nommer le monde et « Dieu » à partir de leurs expériences plutôt que d'être soumises au langage androcentrique et aux représentations sexistes du monde patriarcal. Le mouvement des femmes deviendra révolutionnaire plutôt que réformiste. La théologienne Daly sera au départ d'une entreprise intellectuelle qui n'a pas cessé depuis : celle de dire « Dieu » de manière libératrice pour les femmes. Pour sa part, elle dénoncera l'image du Dieu Père comme étant la projection des représentations patriarcales, comme étant en fait une « idole ». On dit que Dieu a créé l'homme à son image, mais en réalité, les hommes ont créé Dieu à leur image : « Si Dieu est masculin, le mâle est Dieu » (p. 191).

Le travail théologique comprend d'abord une tâche d'iconoclaste ; il faut briser les idoles et ensuite, tendre à aller au-delà de nos projections. Si nous avons l'intuition d'être « à l'image de Dieu », n'est-ce pas par notre pouvoir créateur ? : « It is the creative potential itself in human beings that is the image of God » (p. 29). Ainsi, nous devenons humains en faisant l'expérience de la transcendance. Le monde patriarcal a pensé la transcendance en dehors du monde : Dieu est un Être suprême. Les femmes qui participent à leur révolution, à leur libération, peuvent créer un nouveau contexte pour penser et dire Dieu autrement. Du moins elles peuvent poser de nouvelles questions : « Why indeed must 'God' be a noun ? Why not a verb — the most active and dynamic of all? » Et la réponse pourrait être : « God is a Verb... God is BE-ING ». Dieu est un processus dynamique, une puissance créatrice dans laquelle nous participons aussi par notre créativité.

---

23. *Ibid.*, p. 2-3.

Les femmes en se libérant, en s'affrontant à leur aliénation, participent de ce mouvement créateur et deviennent des êtres authentiques au lieu d'être aliénées sans identité propre. En cherchant à sortir du monde patriarcal, elles se créent une nouvelle vie et ainsi, contribuent à un avenir pour toute l'humanité : elles participent du pouvoir de transformation de Dieu qui fait toutes choses nouvelles (p. 43).

2. À la recherche de « Déesse »

Dans la foulée du tournant révolutionnaire dont je viens de parler, est apparue dans les discours féministes la référence à « Déesse ». Cette référence féminine dans les discours théologiques se présente sous bien des formes, comme nous allons le voir, mais c'est un mouvement global dont la caractéristique principale est de reprendre la question de genre qui avait été délaissée dans ce qu'on a appelé le féminisme égalitaire. Élisabeth Parmentier[24] parle de l'enjeu de ce « féminisme gynécentrique » de la façon suivante :

> ...Il s'agissait de réintégrer le corps et la « nature » féminine, qu'il avait fallu occulter dans les combats égalitaires, sans pour autant retomber dans les travers d'autrefois concernant la vocation spécifique de la femme... C'est une véritable contre-culture, un contre-pouvoir, une *her-story*, une histoire au féminin, que s'élaborait en prenant appui sur les goûts traditionnellement féminins : le mystère, l'irrationnel, la recherche spirituelle.

La théologie qui se développe ainsi s'appuie sur les expériences des femmes *comme femmes* pour les mettre en relation avec le divin, ou la déité, ou le sacré. Ce faisant, elle redonne aux femmes leur pouvoir dans le domaine spirituel ou religieux, pouvoir qui leur avait été enlevé ou dont elles avaient été privées depuis bien des siècles. Ce pouvoir est lié à la sortie de leur aliénation sociale, économique, politique et spirituelle en même temps qu'à la valorisation et à l'épanouissement de leur genre[25].

---

24. Élisabeth PARMENTIER, *Les filles prodigues. Défis des théologies féministes*, Labor et Fides, Genève, 1998, 279 p. Ce livre à perspective œcuménique a, pour moi, le grand mérite de rendre compte de la discussion féministe dans les milieux européens et même au niveau mondial.
25. Mary Daly, avec son livre *Gynaecology*, Beacon Press, Boston, 1987, et les autres qui vont suivre, emprunte cette voie, en privilégiant le travail sur le langage.

Ce mouvement tracera diverses voies qui explorent non seulement une variété d'images et de représentations du divin, mais aussi des différences de vision de notre rapport au divin[26]. L'utilisation du mot « Déesse » peut renvoyer aux religions polythéistes où existaient les cultes aux déesses : certaines féministes retournent à ces religions anciennes pour vivre leur dimension spirituelle. D'autres considèrent « Déesse » comme la déité qui était invoquée, avant le patriarcat, aussi bien par les hommes que par les femmes : Cette Grande Déesse[27] renvoie davantage à la « mater », à la déité matricielle d'où vient tout ce qui existe. De leur côté, les théologiennes juives et chrétiennes trouvent facilement des noms ou attributs féminins pour « Dieu », à l'intérieur même de leurs traditions, qu'elles soient marginales ou officielles[28]. Elles peuvent ainsi avancer l'idée d'un Dieu-mère aussi important que le Dieu-Père. Pour d'autres, elles proposent des images nouvelles comme l'Ami/e, l'Amant/e[29], ou reprennent de manière neuve des noms divins, comme l'Esprit[30]. C'est ainsi que les discours féministes religieux sont traversés de divergences importantes, comme le polythéisme ou le monothéisme, l'exclusivité féminine ou l'inclusion du genre dans la déité et l'usage de la Déesse comme métaphore pour dire le Divin plutôt que comme déité[31].

Ces représentations variées cherchent toutes à libérer les femmes dans leur relation au sacré, ne serait-ce qu'en les enracinant dans leurs expériences de femmes, mais elles ne réussissent pas toujours à donner un réel pouvoir par rapport à la domination masculine, ne serait-ce que parce qu'elles gardent un modèle stéréotypé de séparation des rôles. Et surtout, elles ne contribuent pas nécessairement à remettre en cause une conception de la divinité qui est à la base des pouvoirs de domination.

---

26. *Dictionary of Feminist Theologies*, *op. cit.*, p. 110, note 3.

27. Merlin STONE, *Quand Dieu était femme*, éd. L'Étincelle (trad. de l'américain), Montréal, 1979.

28. Élisabeth. PARMENTIER, *op. cit.*, p. 110, note 3.

29. *Cf.* par exemple, Sallie McFAGUE, *Models of God : Theology for an Ecological Nuclear Age*, Philadelphia, Fortress Press, 1987.

30. *Cf.* par exemple, Elizabeth A. JOHNSON, *Dieu au-delà du masculin et du féminin* (trad. de l'américain *She Who Is*), Paris, Cerf (Cogitatio Fidei 214)1999, ch. VII.

31. *Dictionary of Feminist Theology*, *op. cit.*, p. 131.

3. Quel pouvoir au féminin ?

Est-ce que féminiser « Dieu » accorde réellement du pouvoir aux femmes ? Cette question fort pertinente est traitée par des théologiennes[32] comme Rosemary Radford Ruether ou Élizabeth Johnson qui montrent l'ambiguïté ou même l'insuffisance de certaines manières de procéder.

On peut garder un modèle de *subordination* au masculin en attribuant des traits féminins à Dieu, comme ceux qui relèvent des rôles traditionnels des femmes, une maternité idéalisée, par exemple, pour tempérer des traits masculins trop violents :

> L'introduction de caractéristiques présumément féminines s'opère à l'intérieur d'une configuration androcentrique, laissée intacte. Puisque l'image de Dieu correspond toujours à celle du pouvoir masculin, même si elle est figurée en des teintes plus douces, le féminin se trouve intégré, de manière subordonnée, à un symbole global qui demeure masculin.[33]

Les qualités dites féminines servent à parler d'un Dieu bon plutôt que sévère, et cela peut justifier de manière plus subtile le pouvoir de domination des hommes, en l'accolant au « paternalisme ». On peut dire que Dieu agit *comme* une mère, mais on trouve scandaleux de dire qu'il *est* une mère. De même on peut faire voir des dimensions féminines en Dieu sans sortir des stéréotypes du masculin et du féminin[34]. Le problème réside dans le fait qu'on attribue du « féminin » aux hommes mais pas de traits « masculins » aux femmes. C'est toujours un modèle *inégalitaire* qui est sous-jacent. Cette « simplification dualiste » a déjà été dénoncée par R. Radford Reuther[35] pour qui des traits culturels féminins, comme on en trouve d'ailleurs dans la Bible, sont le produit d'une structure de domination. Pour que ces images féminines soient libératrices pour les femmes, il faut les situer dans notre contexte où les rôles sexuels ne sont plus rigi-

---

32. Je m'arrêterai ici aux réflexions faites par des théologiennes de tradition judéo-chrétienne, même s'il m'apparaît important, par ailleurs, d'avoir une vision plus globale de cette question.
33. Elizabeth JOHNSON, *op. cit.* p. 81-82. Elle fait remarquer que c'est souvent des théologiens masculins, mais pas uniquement, qui proposent ainsi d'adoucir le « Dieu patriarcal ».
34. C'est souvent, aujourd'hui, en s'appuyant sur l'apport, par ailleurs intéressant de Jung... *cf.* la critique de Naomi Goldenberg citée par E. JOHNSON, *op. cit.*, note 20, p. 83.
35. La féminité de Dieu, *Concilium 163*, 93-101.

des, et où la diversité et les différences qu'elles soient biologiques ou culturelles, reposent quand même sur un fondement égalitaire.

C'est ainsi que des théologiennes mettent de l'avant un modèle d'équivalence dans la reconstruction d'un discours théologique au féminin. Cela implique l'utilisation de l'analogie, comme l'a développé la théologie classique, mais à partir des expériences des femmes comme étant aussi valables que celles des hommes.

Johnson le fait de manière remarquable à partir de l'expérience de l'Esprit, et dans la perspective chrétienne d'un Dieu trine. Cela l'amène à parler de l'Esprit au féminin (Esprite[36]), non comme subordonnée au Père et au Fils, comme l'ont fait bien des interprétations de la Trinité, mais en rapport avec l'action de Dieu dans le monde, action créatrice représentée dans la Bible par la Sagesse (Sophia). Ce faisant, elle déploie de nouvelles interprétations théologiques qui concernent la définition de Dieu pour tous les croyants et croyantes. L'inclusion du féminin de manière équivalente concourt au renouvellement de la théologie, en plus de fonder le pouvoir propre des femmes :

> Une démarche partant de l'expérience de l'Esprit, reconnue au fil d'une interprétation, et se poursuivant en une réflexion qui aboutit à Dieu vivante, sur la Trinité vivante, offre une voie permettant d'engager un propos à la lumière des *insights* déclenchés par l'expérience religieuse marginalisée des femmes, une voie qui, au surplus, fait ressortir bien des réalités ignorées par l'approche déductive.[37]

En parlant de l'Esprit-Sophia, de Jésus-Sophia, de Mère-Sophia (p. 203-297), Johnson explore une figure féminine très importante dans la tradition judéo-chrétienne pour parler du Mystère divin[38]. Les métaphores féminines mettent en lumière l'action créatrice et libératrice de la Sagesse telle que manifestée dans l'histoire du prophète Jésus pour nous relier à « Celle qui est »[39], Dieu vivante[40], créatrice et

---

36. Élisabeth PARMENTIER, dans le livre déjà cité traduit ainsi l'usage du féminin pour l'Esprit que Johnson féminise par le « she » ou le « her ».
37. Elizabeth JOHNSON, *op. cit.* p. 200-201.
38. Johnson n'est pas la seule. En particulier, avant elle, E. Schüssler-Fiorenza l'avait fait dans son livre *Jesus, Myriam's child and Sophia's Prophet*.
39. Elizabeth JOHNSON, *ibid.*, p. 373 ss.
40. Le traducteur du livre de Johnson (Pierrôt Lambert) écrit aussi Dieu au masculin, accolé d'un adjectif féminin.

recréatrice, la matrice de tout ce qui existe. Ainsi, l'inclusion du féminin dans le discours sur « Dieu » ne renvoie pas « à une dimension féminine du divin, mais exprime en une image féminine l'intégralité de la puissance et de la sollicitude divine[41]. Comme les métaphores masculines, les féminines disent le « Dieu » trine chrétien à partir des expériences des femmes jugées aussi valables, en même temps tout autant relatives que celles des hommes. Par contre, le fait de parler du Mystère à l'origine comme « Mère » ou « matrice » ne privilégie pas la fonction spécifique des femmes — la maternité comprenant la grossesse, l'accouchement et l'allaitement — mais plutôt l'acte d'engendrement où les rôles masculins et féminins sont égaux ou équivalents. On évite ainsi de renverser le modèle patriarcal, centré sur Dieu Père, pour hisser à sa place la mère toute-puissante, la mère archaïque sur laquelle l'enfant peut projeter sa peur d'être englouti.

Par ailleurs, que la Sophia soit reprise pour dire le modèle trinitaire renouvelle d'idée d'un Dieu relationnel et permet de penser la puissance divine comme un pouvoir-de-relation. Les liens entre l'Esprit et la Sagesse, repris dans une interprétation féministe, montrent une conception de l'amour-don autre que celle de la prédication traditionnelle adressée aux femmes, en terme d'oubli de soi, de sacrifice, pour mettre de l'avant l'amour comme « pouvoir qui mobilise toute vie, l'élan qui pousse tout être vivant vers les autres êtres » (p. 232). C'est dans l'horizon de la mutualité, de la réciprocité et de la liberté que naît une conception de la puissance comme énergie transformatrice : « une puissance libre, vitalisante, non violente, qui est source de relations, de régénération, d'épanouissement » (p. 218).

D'un autre côté, quand on traite du pouvoir dans une perspective chrétienne, on ne peut faire autrement que de rencontrer un paradoxe : celui de l'expérience de Jésus de Nazareth qui meurt impuissant devant les pouvoirs religieux et politiques. Les théologies féministes suivent la voie ouverte par les « théologies» du Crucifié[42] pour contester l'idée théiste d'un Dieu apathique et tout-puissant, et développent une compréhension d'un Dieu qui souffre. D'une part, la perspective féministe valorisant beaucoup la relationnalité, elle

---

41.   Elizabeth JOHNSON, *ibid.*, p. 93.
42.   Pensons ici à J. Moltmann, J. Jüngel, Dorothee Sölle, et à des théologiens de la libération comme Gutierrez, Sobrino...

dénonce l'idée d'un dieu apathique comme étant une projection de l'homme en position de domination pour qui « la liberté est synonyme d'autarcie, d'autonomie et de maîtrise[43] » ; puis elles s'appuient sur les diverses douleurs, les détresses et déchéances de toutes sortes vécues par les femmes dans le monde, pour affirmer la possibilité de la douleur dans le mystère divin, et ce, à titre de *imago dei, imago Christi*[44]. D'autre part, voulant éviter que l'idée « d'une victime divine impuissante » renforce la dépendance des femmes et leur capacité de souffrance passive, elles cherchent à intégrer la démarche de libération entreprise par bien des femmes par leur engagement contre l'injustice et l'expression de leur colère :

> Elles mettent en œuvre à cette fin un pouvoir qui est une vitalité, une vigueur dynamisante qui crée des liens et stimule chez elles et autour d'elles la liberté et la force personnelles. Elles déploient une énergie qui interpelle, qui anime, qui éveille, qui avive l'autonomie et l'amitié. Elles activent un mouvement de l'esprit qui est tour à tour mouvement de construction, de réparation, de solidarité, d'opposition, de réjouissance ou d'affliction. Ce mouvement transforme les êtres et crée des relations entre eux et des rapports entre eux et le monde. Ce dynamisme n'est pas l'antithèse de l'amour, mais plutôt la forme que prend l'amour devant les forces du non-être et de la mort. Ce dynamisme opère relationnellement[45].

Aussi l'image de la Sagesse qui partage tout de l'humain ne s'oppose pas à son pouvoir de compassion : « Sophia-Dieu est en rapport de solidarité avec les êtres qui souffrent... le pouvoir de l'amour compatissant de Dieu pénètre la détresse du monde pour la transformer de l'intérieur...[46] ...il signifie le pouvoir qu'a l'amour souffrant de résister au mal, de recréer le monde[47] ».

Le travail de féminisation des images, figures, attributs qui réfèrent à « Dieu » est important pour valoriser l'expérience religieuse et spirituelle des femmes. Comme on vient de le voir, c'est un point de départ pour inclure le féminin dans l'expérience humaine la plus éle-

---

43. Elizabeth JOHNSON, *op. cit.* p. 391.
44. Ici il faut référer à la thématique de *Christa* très présente chez les théologiennes chrétiennes.
45. Elisabeth. JOHNSON, *op. cit.* p. 417.
46. *Ibid.*, p. 419.
47. *Ibid.*, p. 420.

vée, de telle manière que cela contribue à renouveler pour tous et toutes notre compréhension du rapport au divin. Aussi le fait de garder
le mot « Dieu » en lui accolant des pronoms ou adjectifs féminins ne
rend pas l'importance du changement que cela suppose. Par contre,
l'utilisation de *Déesse* aussi précieuse soit-elle pour les femmes — et
pourrait l'être aussi pour les hommes– ne produit pas le même effet
d'inclusion, et renvoie à une époque jugée païenne.

Rosemary Radford Ruether a essayé de mieux exprimer cela en
écrivant *God/ess* pour parler du Mystère comme d'une Réalité
unique[48]. En français, dire *Dieu/esse* est ardu ; mais il pourrait signifier alors le ou la Sans-Nom[49]. Aussi, un groupe de femmes, au Québec, *L'autre parole*[50], a choisi d'écrire Dieue. Cette nouvelle pratique
de féminisation qui est un choix théologique et politique est un acte
local ; on ne le trouve pas ailleurs. C'est réellement un acte féministe
qui chercher à « sortir Dieu du ghetto masculin »[51]. Il indique un pouvoir d'affirmation exercé communautairement et qui favorise la construction d'une identité. Ce sont des femmes situées culturellement,
politiquement et qui expriment ainsi leurs expériences diverses
comme femmes. Dire « Dieue » est une expérience libératrice, contex-
tuelle, pour des femmes qu'exercent leur pouvoir spirituel, religieux,
dans la solidarité et qui forment *ekklesia* : « Elles deviennent des personnes à part entière et prennent le risque de nommer Dieu à leur
façon, avec ce que cela comporte de limites et de vérité »[52].

IV. Quelques questions pour conclure

Après cette réflexion brève et partielle sur la théologie féministe et le
pouvoir, il m'est apparu normal de le faire en termes de questionne-

48.   *Sexism and God-talk*, Beacon Press, Boston, 1993, p. 68-70.
49.   Collective de femmes féministes et chrétienne : *cf.* Marie-Andrée ROY et
Denise COUTURE, « Dire Dieue », *Dire Dieu aujourd'hui* (sous la direction de
Camil Ménard et Florent Villeneuve), coll. Héritage et Projet 54, Fides,
Montréal, 1994. pp. 139 ss.
50.   *Ibid.* p. 141 ss.
51.   Monique DUMAIS, « Sortir Dieu du ghetto masculin », dans *Souffles de
femmes*, sous la direction de Monique Dumais et Marie-Andrée Roy, Éd.
Paulines, Montréal, 1989, pp. 135-146.
52.   Marie-Andrée ROY et Denise COUTURE, « Dire Dieue », *op. cit.*, p. 146.

ment de manière à ce que les limites de ce travail s'ouvrent sur des prolongements complémentaires.

1.

La réécriture au féminin de traditions bibliques ou de traités théologiques a, certes, son importance pour permettre aux femmes de développer leur estime d'elles-mêmes et leur pouvoir spirituel. Mais cela risquerait de ne pas vraiment remettre en question le modèle patriarcal ou de domination masculine, si on ne confrontait du même coup le théisme, le monothéisme ou même l'athéisme (en tant que son opposé) qui projettent Dieu à l'extérieur, comme une entité en dehors de sa création. N'est-ce pas le type de rapport entre le divin ou la Réalité mystérieuse et le monde qui est en jeu quand on parle d'un Dieu qui souffre, par exemple? L'immanence et la transcendance pourraient se penser à l'intérieur d'un processus divin qui change, qui devient avec sa création. La transcendance serait conçue comme une capacité d'aller au-delà d'un état statique, un pouvoir d'une créativité infinie. Ne pourrions-nous pas participer de ce pouvoir? Notre développement ne pourrait-il pas être un « devenir divin »[53]?

Au lieu de parler de « maternité » qui est une fonction spécifique aux femmes, Jantzen suggère la symbolique de la « natalité », du fait que nous naissons, et donc que nous recevons la vie et ensuite nous nous développons, avant de mourir comme tout être vivant, que nous soyons femmes ou hommes. L'avantage de cela serait de situer notre finitude dans un processus concret, dynamique plutôt qu'en une catégorie abstraite qui ne fait que « couvrir » notre réalité. Et n'est-ce pas au fond le rapport difficile à la « mater » que tous et toutes ont à vivre puisque nous naissons tous d'une femme[54]? Et en même temps, cela exige de considérer la différence des sexes sur cette question, afin d'arriver à un dialogue constructif[55].

53.　Grace M. JANTZEN, *Becoming Divine. Towards a Feminist Philosophy of Religion*, Indiana University Press, 1999.
54.　La réflexion écoféministe nous a déjà interpellé/es là-dessus : *cf.* le livre magistral de R. Radford RUETHER, *Gaia and God*, Harper, San Francisco, 1992.
55.　Plusieurs femme psychanalystes, psychologues se penchent sur cette question du rapport à la mère selon les sexes : ex. Nancy Chodorow, Christiane Olivier, Luce Irigaray, etc.

2.

Dans cette manière de penser, alors, Dieu n'aurait-il pas un corps? Sa création? Pourquoi l'idée du panthéisme serait à rejeter s'il ne s'agit pas de réductionnisme? N'avons-nous pas l'expérience d'être dans un corps sans être uniquement ce corps? L'altérité a sa place dans cette vision des choses, sans tomber dans un modèle dualiste sous forme de polarisation ou séparation. Au contraire, la diversité, les différences sont affirmées et respectées, contrairement au « monisme » où tout doit être ramené à l'UN. Le phénomène d'objectivité dans la pensée scientifique ne s'enracine-t-il pas aussi dans le même dualisme de séparation hiérarchique que celui de « esprit/corps », « homme/femme »?

L'intérêt de la prise de parole féministe à ce sujet serait d'obliger à entreprendre la déconstruction du fonctionnement de la raison moderne[56] de la manière la plus radicale. Ce que les femmes engagées dans un processus de changement apportent de plus neuf, n'est-ce pas ce rapport pratique, concret, incarné avec la réflexion? Avec la théorie? Quand leurs corps individuels et leurs corps communautaires disent dieue, ce n'est pas une projection dans l'idéal abstrait. N'est-ce pas à travers leurs devenirs, leurs histoires, leurs engagements pour la justice et la mutualité[57] qu'elles participent à la créativité divine? Et aussi leurs solidarités entre elles de diverses situations[58] et avec tous les autres marginalisés ou exclus qui leur font dénoncer le caractère élitiste de bien des discours, eux-mêmes critiques de la modernité.

Ces divers niveaux de questionnement ouvrent un espace critique qui est celui du lieu des femmes, celui de l'incarnation, du corps, de la sexuation des êtres vivants que nous sommes ; mais aussi du lieu des personnes marginalisées ou exclues, que ce soit de par la couleur de peau, leur comportement sexuel, leur santé mentale ou leurs coutumes.

---

56. Même si d'autres penseurs masculins ont déjà entrepris ce travail, les femmes le font de manière encore plus radicale : *cf.* par exemple G.M. JANTZEN, *op. cit.*
57. "The power of anger and the work of love", comme dirait Beverly Harrison, dans *Union Seminary Quarterly Review 36*, 1980-81, p. 49.
58. Je pense aussi aux théologies féministes américaines, la "womanist", la 'mujerista", aussi bien que celles qui viennent d'Asie ou d'Afrique...

Quand une prise de pouvoir vient de ces lieux, ne provoque-t-elle pas le pouvoir dominant en dévoilant ce qu'il tient pour évident mais qui s'avère une illusion : y aurait-il *une* vérité s'imposant à tous plutôt qu'une variété de chemins qui constituent un processus vivant? Et ce processus vivant ne serait-il pas habité par un horizon de transcendance auquel nous sommes partie prenante, hommes et femmes? Une tâche importante se dessine pour développer notre pouvoir de création et de transformation, sous le mode de la coopération et de la solidarité, celui du dialogue entre les femmes et les hommes, dans leurs communautés diverses, dialogue qui s'exprimera en une pluralité de « parler-dieu ».

RÉSUMÉ

En « féminisant » Dieu, la théologie féministe se trouve à confronter le pouvoir masculin et patriarcal comme pouvoir de domination. Dans cet article, nous donnons un aperçu d'études sur le patriarcat, particulièrement dans les religions, afin de cerner l'origine et donc les conditions dans lesquelles le pouvoir patriarcal s'est développé. Puis dans la présentation des discours féministes sur Dieu, dans une perspective critique d'abord, et dans un effort de reconstruction au féminin ensuite, apparaissent des modèles de rapports de pouvoir, tout autant qu'une conception du pouvoir. Un questionnement de fond suit qui engage la poursuite d'une réflexion articulée sur des pratiques de dire Dieue.

ABSTRACT

When feminist theology "feminizes" "God" it confronts masculine, patriarchal power as the power of domination. This article surveys patriarchy within the context of religion to discover the origin and conditions in which it has developed. It then presents feminist discourses about "God" through a critical perspective ; and finally, in an éffort to reconstruct the feminine, it discusses the concept of power and power relationships. Fundamental questions are asked in a reflection about the ways in which the concept of God is expressed.

Théologiques 8/2 (2000) 99-106

Note sur pouvoir
et interprétation

Walter MOSER
Département de littérature comparée
Université de Montréal

L'enjeu du pouvoir est indissociable de l'acte d'interprétation, mais l'herméneutique ne l'a pas toujours explicité. Si on admet avec Gadamer que toute interprétation a lieu dans une situation concrète, qu'elle est même, sur un plan tout à fait pratique, une application concrète d'un texte à une situation, on peut facilement comprendre que le facteur pouvoir et exercice de pouvoir ne soit pas étranger au travail de l'interprète. Ce travail pose toujours — explicitement ou implicitement — un horizon de sens qui découle de la situation de l'interprétation. L'horizon de sens détermine la manière dont le potentiel de sens d'un texte sera actualisé dans un acte d'interprétation concret ; il opère l'ouverture d'un champ que pourra occuper, traverser, arpenter l'interprète, mais il trace aussi une limite à ne pas franchir : « au-delà de cet horizon, quelque vaste qu'il soit, pas de sens qui vaille, pas de salut herméneutique».

Une part importante du pouvoir impliqué dans l'acte interprétatif réside dans l'établissement de cet horizon de sens. Un pouvoir souvent caché, non assumé, parce qu'il s'inscrit dans les préalables de l'acte proprement dit.

Tel n'est cependant pas le cas lorsqu'il s'agit d'une interprétation explicitement dogmatique. Dans *Le Magistère chrétien* qui comporte la théorie de l'exégèse de la Bible par saint Augustin, le dogme établissant l'horizon à l'intérieur duquel la Bible peut prendre sens, est donné. L'ouvrage de saint Augustin est organisé en quatre livres, dont le premier s'intitule « Des vérités à découvrir dans l'Écriture ». C'est ici que le maître d'exégèse établit les principes de la foi chrétienne (vérité de la foi, vertu théologale de la charité, etc.) qui guideront plus tard l'interprète quand il aborde sa tâche de « dissiper les ambiguïtés de l'écriture » (cf. le titre du 3e livre). C'est à ces principes qu'il renvoie dans le troisième livre, qui contient l'herméneutique proprement dite, quand il s'agit de prendre des décisions interprétatives concrètes sur tel mot, sur tel passage, sur telle tournure du texte biblique.

L'exégète « doit consulter la règle de la foi qu'il a reçue de passages plus clairs de l'Écriture ou de l'autorité de l'Église, et dont nous avons traité au premier livre » (p 341). L'horizon de sens est donc bien tracé. Il guide l'exégète en circonscrivant la zone du sens ; il admet même la chose que Roland Barthes a appelé le sens pluriel. Pour saint Augustin, en fait, un passage biblique peut avoir plusieurs sens, à condition toutefois qu'ils soient tous « non incompatibles avec la vérité de la foi » (p 389). Mais l'horizon de sens dogmatique devient aussi un garde-fou, au sens propre du terme, car de l'autre côté de la ligne tracée guette le non-sens, voire la démence : « Or, croire cela [une vérité non-conforme avec le dogme], serait le comble de la démence » (p 345). Cette ligne qui trace le champ de liberté de l'interprète est donc aussi celle qui exclut, d'ailleurs exactement selon un des principes d'exclusion retenus par Michel Foucault dans *L'ordre du discours* : la ligne tracée entre raison et folie, dont Foucault a bien montré les enjeux de pouvoir.

L'exercice de pouvoir qui habite ce tracé de l'horizon du sens devient encore plus évident si on observe la circularité de l'opération qui s'ensuit : au départ, en tant que texte sacré et premier du christianisme, la Bible est le fondement des valeurs et vérités théologales et plus généralement de la « vérité de la foi ». Cette vérité est alors érigée en horizon de sens pour l'interprétation du texte biblique, plus exactement des passages difficiles, car les passages qui confirment la vérité de la foi sont présumés compris par saint Augustin et lui servent alors de passages parallèles, selon une logique de cohérence interne du texte, pour établir le « bon » sens des passages ambigus. Le résultat de ce travail d'exégèse ne pourra que confirmer l'horizon de sens préétabli, etc.

Cette circularité de l'interprétation dogmatique peut nous faire sourire aujourd'hui. Mais imaginons des situations où elle est prise en charge par une institution. Que ce soit l'école d'exégèse centralisée d'une Église ou le Comité central d'un parti unique — évidemment révolutionnaire — d'un État moderne ou encore une des multiples

Écoles freudiennes qui veulent gérer le texte fondateur de la psychanalyse, ce sera chaque fois le même scénario : le dogme — explicite ou implicite — subit un durcissement institutionnel. Le sens est produit et administré par des professionnels qui ont le statut de fonctionnaires et sont investis de l'autorité d'un appareil institutionnel. L'interprétation — en tout cas celle des textes considérés premiers — est ainsi insérée dans une structure institutionnelle conçue pour exercer du pouvoir. Georges Gusdorf a montré les débuts de cette logique de la gestion et du contrôle du sens dans l'établissement de la Bibliothèque d'Alexandrie.

Rien de moins étonnant, en conséquence, de voir circuler une opinion publique au sujet de l'herméneutique, une espèce de vulgate sur l'interprétation, qui consiste à associer intrinsèquement interprétation et *establishment* . Et qui, de ce fait, situe le travail de l'interprète toujours du côté des puissants. En court-circuitant les étapes du raisonnement, ce qui est le propre des doxas, on attribue alors à l'herméneutique un statut idéologiquement et politiquement conservateur sinon réactionnaire : l'interprète logerait toujours à l'enseigne des puissants. À condition de contribuer à consolider leur pouvoir, il en profiterait.

Ceci n'est, cependant, que la moitié de l'histoire, car il s'agit d'une histoire qui se raconte sur le mode antithétique. Si on peut exercer du pouvoir par l'établissement et la gestion du sens, et que le sens devienne un enjeu de pouvoir, il est logique qu'il devienne aussi le lieu précis où on peut faire émerger un contre-pouvoir. Prenons à titre d'exemple ce « petit roman » du dîner de Turin que raconte Jean-Jacques Rousseau et que Jean Starobinski a si magistralement interprété. Le moment décisif de cet épisode des *Confessions* est un acte d'interprétation : le domestique-précepteur, admis à la table de ses patrons aristocrates, saisit l'occasion qui lui est offerte de leur donner une leçon d'interprétation. Pour un bref moment, sa performance interprétative le met au-dessus de tous, l'ordre social hiérarchique s'en trouve renversé. Il y a du révolutionnaire dans son geste ponctuel. Inutile de dire que cela ne durera pas, que l'ordre de type ancien régime sera rétabli.

N'importe la suite de l'histoire de Rousseau, Starobinski en profite pour faire une extrapolation surprenante sur l'acte d'interprétation. Il commence par constater : « C'est donc une nouvelle force qui se manifeste, prête à se transformer en pouvoir politique » pour enchaîner « Au dîner de Turin nous assistons déjà à une petite révolution » (p 127) et, plus loin, en généralisant, il parle de « l'homme du dehors, mais qui surcompense le désavantage de sa situation périphérique en capturant par l'interprétation les secrets du dedans». Cela s'applique à Freud tant qu'à Rousseau : « Il promeut de la sorte, à son tour, une révolution par l'interprétation » (p 156). Et voilà qu'interpréter prend une valeur intrinsèquement révolution-naire. Avec une telle affirmation nous nous trouvons aux antipodes de l'institutionnalisation conservatrice de l'interprétation. Et elle n'est pas moins vraie! En fait, étant donné le lien constitutif entre pouvoir et interprétation, il est tentant de faire de l'activité interprétative le détonateur d'un changement de régime : une pratique de réforme, de révolte, de dissidence, de révolution.

D'ailleurs, les exemples historiques ne manquent pas. Qu'on pense, évidemment, à la Réforme historique. Un des enjeux centraux de ce mouvement mené par Luther portait sur la gestion du texte sacré des chrétiens : son interprétation et sa traduction. De même, les dis-sidences et le révisionnisme à l'intérieur du monde socialiste sont basées sur une relecture[1] de l'œuvre fondatrice de Marx et Engels. La nouveauté « révolutionnaire » de la psychanalyse de Lacan, n'est-elle pas issue d'une relecture de Freud? En littérature, c'est la réinterpré-tation des grands classiques qui ponctue les changements de para-digme et par-là l'histoire littéraire.

Chaque fois qu'on attribue à un texte un statut fondateur, qu'on l'érige en texte premier, la gestion de son sens devient un enjeu de pou-voir très sensible. Les institutions s'en saisissent, mais aussi les dissi-dents, les révoltés et les révolutionnaires. Ce n'est donc pas l'acte interprétatif qui, en soi, serait révolutionnaire ou réactionnaire. Mais, comme il est indissociable de l'exercice du pouvoir, toutes sortes de pouvoirs s'en saisissent, s'en servent et s'y inscrivent pour s'affirmer. La question de savoir si le pouvoir de l'interprète se situe sur le versant conservateur ou innovateur, n'est pas intrinsèquement inscrite dans l'acte d'interprétation, mais dans la situation historique, sociale, poli-

---

1.   Au sens fort dans lequel on a pris l'habitude de prendre ce terme : relire = réinterpréter, offrir une nouvelle interprétation, souvent contestatrice des dogmes interprétatifs établis.

tique, économique concrète dans laquelle l'interprète intervient et à laquelle il applique son travail.

La question du révisionnisme est donc étroitement liée à celle de l'interprétation. Le terme a une connotation négative, puisqu'il a été créé par ceux qui détiennent un pouvoir institutionnel — dans la plupart des cas dans le contexte de l'état moderne — pour discréditer justement ceux qui s'attaquent à ce pouvoir en proposant une lecture alternative d'un texte fondateur. Dans le domaine littéraire, le critique et théoricien Harold Bloom a revalorisé ce terme en proposant le paradigme positif d'une critique révisionniste. Ce qui nous intéresse ici, c'est le moment révisionniste qu'il intègre dans sa théorie de la poésie. Selon Bloom, la production de la poésie a lieu dans le contexte œdipéen qui voit un poète-fils — faible par définition — devoir faire face à un poète-père puissant. Le nouveau poète subit donc l'anxiété de l'influence de la grande œuvre créée par son prédécesseur. Bloom dessine un parcours en six étapes qui retrace l'affranchissement du jeune poète de son « père » et son établissement à son tour comme poète fort. Il y a donc tout le long un enjeu de force et de pouvoir, et un risque concomitant d'écrasement.

La première étape de ce parcours est la plus intéressante ici : comment le jeune poète pourra-t-il commencer par s'affirmer face à l'œuvre qui menace de paralyser sa force créatrice? Par une lecture déviante qui opère un infléchissement minimal[2]. Bloom utilise les termes de *misreading* et *misprision* , et plus tard aussi *misinterprétation* pour nommer cet écart initial minimal qui marque cependant le pas décisif vers la propre œuvre du poète-fils. Tout commence donc, en tant qu'interprétation, par une mé-lecture, une mé-prise délibérée. Et chez Bloom ce « tout » est une question de pouvoir en tant que force créatrice. Le moment décisif se joue dans le préfixe *mis-* (mé-) qui, en principe négatif, prend une valeur positive comme une contestation (minimale) nécessaire pour ouvrir le champ où viendra s'inscrire une affirmation propre. Quelque lourdement œdipienne que soit cette théorie, elle articule, dès sa première phase et avec une lucidité remarquable, le moment de l'exercice d'un pouvoir dans l'acte déviant de

---

2.   Bloom adopte de Lucrèce (*De Rerum Natura*) le terme de *clinamen* pour dire cet écart minimal mais décisif.

l'interprétation. Il n'y va pas d'un geste révolutionnaire, mais d'un enjeu de survie dans le sens d'une continuation de l'activité créatrice.

À l'obsession œdipienne qui pèse sur cette théorie par ailleurs intéressante fait écho, dans le contexte nord-américain plus récent, une obsession plus générale du pouvoir. Elle colorie tout le débat sur la question de l'interprétation. C'est comme si le fait d'avoir reconnu l'enjeu de pouvoir dans tout acte d'interprétation obligeait les intellectuels à n'aborder l'herméneutique plus que sous le registre/signe du politique. *Politics of interpretation* est un des titres et un des syntagmes les plus utilisés dans les débats herméneutiques nord-américains[3]. Ceci s'inscrit, aux États-Unis dans le contexte assez pesant des politiques d'identité et de la rectitude politique[4]. C'est comme si l'incontournable « soupçon d'idéologie » des années'60 s'était mué, aux États-Unis du moins, en « soupçon de politique» . Il s'agit alors partout de dépister le moment du pouvoir qui se manifeste dans l'acte d'interprétation. Au point où un observateur extérieur pourrait en conclure à une réduction de l'interprétation à son enjeu de pouvoir.

Dans le contexte d'une pensée post-coloniale qui, si articulée à partir d'un lieu périphérique, peut placer au banc des accusés les intellectuels nord-américains même les plus politiquement corrects, Édouard Glissant a poussé cette unidimensionnalité de l'interprétation à son extrême. En s'appuyant sur une logique étymologique quelque peu chancelante[5], il démasque le *power play* herméneutique du « génie de l'Occident » : « Et moi je dis que ce génie est un génie trompeur, parce que dans comprendre il y a l'intention de prendre, de sou-

---

3.   Un exemple parmi beaucoup : le numéro spécial de *Critical Inquiry* (9, 1982) consacré à l'herméneutique sous le titre « Politics of Interpretation ».

4.   Mais nous avons, au Québec, nos propres exemples de *Politics of Interpretation* , et ceci au sens tout à fait premier de cette expression : la manière de mêler la politique à l'interprétation d'un texte. Qu'on pense aux diverses interprétations partielles, partisanes, retorses, contresensuelles, etc auxquelles a été soumis le récent avis de la Cour Suprême du Canada sur la question de la sécession de la part de divers acteurs politiques, individuels et collectifs confondus.

5.   « Dans (....) la notion de compréhension, « com-prendre» , je prends avec moi, je comprends un être ou une notion, ou une culture, n'y a-t-il pas cette autre notion, celle de prendre, d'accaparer? » (p 126).

mettre ce que l'on comprend, à l'aune, à l'échelle de sa propre mesure et de sa propre transparence » (p.126). Au concept de compréhension, il opposera alors l'appréciation des opacités de l'autre, et le « droit à l'opacité de tous les peuples » (p.128). Dans ce beau geste résonnent toutes sortes de rhétoriques, mais, pour l'herméneutique, il laisse ouverte une question importante : faut-il condamner à tout jamais l'herméneutique comme une machine de guerre de l'Occident colonisateur? Ou s'agit-il de développer une pratique herméneutique alternative, consciente de son enjeu de pouvoir intrinsèque et respectueux de l'altérité de qui il s'agit de comprendre?

Ma réponse est suggérée dans ce qui précède. Je m'oppose à ce qu'on réduise le vaste champ de l'herméneutique à une des dimensions qu'elle a privilégié dans certaines situations concrètes : la dimension du pouvoir. Et je plaiderai ici pour qu'on dissocie, sur le plan théorique, le type de pouvoir qui est exercé par l'interprète concret et le principe du travail interprétatif. Car si un potentiel de pouvoir se trouve constitutivement inscrit au niveau de ce principe, l'exercice concret de ce pouvoir dépend de la situation d'interprétation qui change de cas en cas. Finalement, il est important qu'on n'oublie pas toutes les autres dimensions du travail interprétatif : philologique, culturelle, sémiotique, éthique. Elles ne sont pas réductibles à du pouvoir, à moins d'une unidimensionnalité regrettable qui aurait pour effet l'appauvrissement de notre riche et complexe tradition herméneutique.

Bibliographie

Harold BLOOM. *The Anxiety of Influence. A Theory of Poetry.* Oxford : Oxford University Press, 1975 (©1973).

COLLECTIF. Numéro spécial sur « The Politics of Interpretation», dans *Critical Inquiry* 9 (1982), pp 1-278.

Michel FOUCAULT. *L'ordre du discours.* Paris : Gallimard, 1971.

Édouard GLISSANT. « Le chaos-monde, l'oral et l'écrit», dans Ralph LUDWIG (éd.), *Écrire la parole de nuit. La nouvelle littérature antillaise.* Paris : Gallimard, 1994, pp. 111-129.

Georges GUSDORF. Les origines de l'herméneutique. Paris : *Payot,* 1988.

SAINT AUGUSTIN. Œuvres de saint Augustin, vol. 11, 1re série : Opuscules : XI. *Le Magistère chrétien*, Paris : Desclée de Brouwer et Cie, 1949.

Jean STAROBINSKI. « Le dîner de Turin », dans *L'œil vivant II : La Relation critique*. Paris : Gallimard, 1970, pp 88-169.

Théologiques 8/2 (2000) 107-126

Le pouvoir existe : qui le détient, de quelle façon et avec quelles conséquences ?

Jacques RACINE
Université Laval
Québec

Poser ainsi la question du pouvoir n'est pas habituel aux théologiens, mais rejoint très bien les spécialistes des sciences humaines. Cette façon de faire invite à une réflexion sur les pratiques réelles du pouvoir en Église et non sur la négation de celui-ci ou sa sublimation. Elle oblige à traiter du pouvoir pour lui-même et non en relation avec toute autre considération ou thématique. Elle oblige à en traiter en situation historique, dans sa complexité et ses limites. Elle peut conduire à de nouvelles propositions ecclésiologiques. Les théologiens sont ainsi appelés à confronter leur discours sur le pouvoir à celui de la science politique, à délaisser leur réflexion théologique et philosophique sur le fondement et l'origine du pouvoir pour s'intéresser à la pratique de celui-ci et à son interprétation. En fait, que le pouvoir tire son origine de Dieu ou de la souveraineté du peuple , c'est son appropriation par certains et son exercice qui font problème; et cette situation ne sera jamais réglée une fois pour toutes, ni en Église, ni en société. Je dois dire que j'ai été conduit à présenter ainsi la question du pouvoir après m'être rendu compte que dans deux dictionnaires de théologie parus en 1998, le mot «pouvoir» n'apparaissait dans aucune table d'entrées. Dans le *Dictionnaire critique de théologie* (PUF 1998), on renvoie, en index, le terme« pouvoir »à celui d'«autorité»; le terme «pouvoir divin» à celui de «puissance divine»; le terme «pouvoir ecclésiastique» à ceux de «juridiction», «discipline ecclésiastique» et «droit canon». Dans le *Dictionnaire de la théologie chrétienne* (Encyclopaedia universalis 1998), le terme «pouvoir» renvoie, en annexe à Ockham et à sa réflexion sur l'autonomie du pouvoir temporel. Un tel traitement du terme « pouvoir » confirmait une perception largement répandue de la difficulté d'analyser le pouvoir en

Église et a influencé mes choix dans la rédaction de cet article dont le thème aurait mérité des développements beaucoup plus importants. Dans un premier temps, je m'attarderai à certains obstacles rencontrés par les théologiens dans leur compréhension du pouvoir en Église. Par la suite, à partir d'une brève fresque historique, j'évoquerai la réciprocité des liens entre la façon de définir et d'exercer le pouvoir en Église et en société. En conséquence, je soumettrai à l'attention du lecteur, certains avantages qu'auraient les théologiens à s'inspirer de la sociologie politique dans leurs études en ecclésiologie.

Obstacles et camouflages...

De nombreuses études de théologiens portent sur l'origine divine du pouvoir en Église, reliée à la gratuité du don de Dieu et à la fondation de l'Église par le Seigneur seul selon l'article I de la doctrine de Grégoire VII. Certaines visent directement la légitimité du pouvoir du pape et des évêques, en tant que représentants institués par Dieu. Certaines insistent sur l'aspect ontologique ou substantif du pouvoir. Certaines s'attardent au rôle de Jésus de Nazareth, à ceux de Pierre ou de Paul dans la fondation de l'Église ou amplifient la place occupée par ce dernier dans l'institutionnalisation de celle-ci : cela ne change rien à la question de l'origine divine du pouvoir de cette dernière, à son fondement et à sa légitimité. D'ailleurs, ce ne sont pas ces aspects qui ont été mis en question au cours des siècles et encore aujourd'hui par ceux qui croient, mais bien la façon dont on s'attribue le pouvoir divin et dont on en use; la façon dont on s'approprie la relation du Créateur avec sa créature, du Père avec ses enfants, du Christ avec ses disciples, en se substituant indirectement au Créateur, au Père et au Christ avec tous les risques inhérents à la condition humaine dans les relations de pouvoir.

L'insistance sur l'origine divine du pouvoir est, pour certains théologiens, le premier obstacle à l'analyse de celui-ci tel qu'il se manifeste en Église. C'est comme si elle cachait la réalité. Pourtant, autant peut-on constater l'utilisation d'anthropomorphismes pour parler du pouvoir de Dieu dans la Bible et est-on appelé à en faire l'interprétation, autant peut-on constater, en Église, à travers les âges, un renforcement et souvent une absolutisation des caractéristiques du pouvoir des dirigeants par une légitimation liée à son origine divine et doit-on en faire la critique.

Tout pouvoir implique des relations asymétriques, le contrôle et la contrainte, l'utilisation potentielle de la force, la possibilité d'exercer des sanctions, le contrôle de ressources matérielles et humaines. Le pouvoir a une tendance à la centralisation, à l'unité exercée par le moins de monde possible, à l'oubli de l'interactivité des relations. Au nom de Dieu, à diverses époques, des gens au pouvoir en Église ont accentué l'asymétrie des relations entre pape et évêques, clercs et laïcs, hommes et femmes. Au nom de Dieu, ils ont exercé de façon abusive le contrôle et la contrainte sur les consciences. Au nom de Dieu, ils ont utilisé la force pour convertir. Au nom de Dieu, ils ont sanctionné la différence jusqu'à brûler les sorcières. Au nom de Dieu, ils se sont approprié de grandes ressources tant humaines que matérielles. Au nom du Dieu un, le pouvoir en Église a cherché à s'exprimer d'une seule voix, par un seul homme dont les princes mêmes devaient baiser les pieds ou la bague. Ce n'est ni Dieu, ni sa Parole, ni son Message qui ont provoqué cela. Au contraire, au nom de Dieu et de l'Évangile, le pouvoir aurait dû être transformé, civilisé, humanisé, sans cesse interpellé dans son exercice par la dignité reconnue à chaque personne humaine, par le statut de disciple de chaque croyant, par la reconnaissance des limites humaines de celui qui l'exerçait et de ses principaux collaborateurs. Le pouvoir aurait dû être libérateur.

Pour ce faire, le pouvoir devrait être reconnu pour ce qu'il est, identifié dans son autonomie, critiqué comme toute réalité humaine. L'affirmation de son origine divine ne devrait jamais empêcher la vigilance et l'évaluation à son endroit et encore moins être utilisée pour soutenir une certaine souveraineté pontificale usurpée à Dieu lui-même. Mais il n'en a pas été ainsi : on a préféré éviter de parler du pouvoir en Église comme s'il n'existait pas. On a plutôt choisi d'utiliser d'autres termes pour le désigner ou porter à un autre niveau la discussion.

C'est ainsi qu'on a sans cesse préféré le terme « autorité » à celui de « pouvoir ». L'autorité est au-dessus du pouvoir qui, selon certains, a une perspective trop immédiate, trop coercitive, trop liée aux limites de la nature humaine. L'autorité renvoie à la doctrine, à la tradition, à la succession apostolique: elle est intouchable. Le pouvoir évoque d'abord le contrôle, la sanction, mais aussi l'arbitrage, le moindre mal, les conflits, la stratégie, le relatif. Cette distinction entre pouvoir et autorité remonte à l'expérience même de l'Empire romain, à la manière d'y définir le rôle des sénateurs comme les gardiens de la fondation mythique de Rome, comme les possesseurs de l'autorité et non du pouvoir. Elle a été fixée en doctrine par le pape Gélase à la fin du cinquième siècle dans une lettre écrite à l'empereur Anastase Ier que je tire du livre de Jean-Claude Eslin, *Dieu et le pouvoir.*

> Il y a principalement deux choses, Auguste empereur, par quoi ce monde est gouverné: l'autorité sacrée des pontifes (*auctoritas sacrata pontificium*) et le pouvoir royal (*regalis potestas*). Mais des deux, les prêtres portent une charge d'autant plus lourde qu'ils doivent rendre compte au Seigneur même pour les rois devant le jugement divin... Vous devez courber une tête soumise devant les ministres des choses divines et c'est d'eux que vous devez recevoir les moyens de votre salut.» Par contre,« dans les choses concernant la discipline publique, les chefs religieux saisissent que le pouvoir impérial vous a été conféré d'en haut et eux-mêmes obéiront aux lois de crainte de paraître aller à l'encontre de votre volonté dans les affaires du monde[1].

Cette distinction entre autorité et pouvoir va traverser les siècles et connaître des fortunes différentes selon les relations entre les papes et les empereurs; les premiers préfèrent sembler prendre distance du pouvoir en le déléguant au bras séculier dans la mesure où celui-ci reconnaît leur autorité. Ils espèrent ainsi se situer au-dessus de la mêlée tout en cherchant à faire des empereurs ou des rois, des exécuteurs de leurs orientations. Mais, en même temps, au second millénaire, l'Église prend de plus en plus l'allure d'un État avec ses divers pouvoirs législatif, juridique et administratif ; on dit même qu'elle est à l'origine de l'État moderne et de ses divers pouvoirs. Et pourtant, elle continuera à ne parler que d'autorité, d'*auctoritas sacrata,* semblant tout ignorer du pouvoir et du politique que certains partisans de l'augustinisme lient uniquement à la situation de péché.

Les réflexions autour des termes *vérité* et *infaillibilité* serviront aussi de camouflage à la critique du pouvoir en Église du moins de la part du discours officiel et de celui de beaucoup de théologiens jusqu'à Vatican II. C'est comme si parler de vérité et d'infaillibilité pouvait se faire dans l'abstrait par suite d'une compréhension immédiate appelant adhésion et obéissance. Pourtant, on ne peut plus ignorer les rapports entre vérité et pouvoir. Le pouvoir appuie sa propre légitimation sur la vérité et sur le savoir et en même temps, il crée ou construit la vérité et le savoir qui le légitiment. En Église, deux exemples nous le

---

1.　　Jean-Claude ESLIN, *Dieu et le pouvoir*, Paris, Seuil, 1999, p. 95-96.

montrent à l'évidence : la définition du dogme de l'infaillibilité au dix-neuvième siècle et la parution de la Lettre apostolique *Ad tuendam fidem* en 1998. Dans les deux cas, le mobile exprimé est la défense de la Vérité révélée et de la Foi, mais dans les deux cas, ce qui est vraiment recherché, c'est l'élargissement de l'autorité du pape, la reconnaissance de sa souveraineté, sa capacité d'agir seul devant une certaine contestation de son pouvoir temporel dans le cas de l'infaillibilité et de son interprétation de l'impossibilité d'ordonner des femmes dans le cas d'*Ad tuendam fidem*. On parle de vérité, mais on ne fait pas appel à la discussion, à l'argumentation, à l'étude. On parle de vérité, mais on exerce un pouvoir totalitaire pour la dire. On veut même y enfermer ses successeurs. Notre propos n'est pas ici de contester une certaine infaillibilité de l'Église et du pape ou le bien fondé de sa position sur un point ou l'autre. Il s'agit plutôt d'insister sur le fait qu'il y a là des questions de pouvoir et non seulement de vérité et qu'il y a de nombreux jeux entre pouvoir et vérité dont les contemporains sont de moins en moins dupes peu importe le domaine du savoir étudié. Les études sur la production des textes officiels ou de la « vérité » en Église sont en ce sens très importantes. Mais il faut bien constater que les théologiens participent eux-mêmes à ces jeux du pouvoir et du savoir. Ils cherchent à légitimer leurs discours par rapports à des discours concurrents dont ceux de la hiérarchie. Ils exercent leur métier dans un champ social défini : la curie romaine ou diocésaine, l'université et les collèges, les mass-médias. Ils peuvent eux-mêmes établir leur discours comme discours de pouvoir et chercher à régir la foi des autres sous prétexte de vérité, oubliant selon l'expression de Fernand Dumont qu' «envers la communauté des croyants, le théologien est un médiateur[2].»

L'analyse du pouvoir en Église peut être brouillée d'autres manières. Ainsi, en identifiant pouvoir et service, on dénature totalement celui-là ; par un mot, on semble renverser les relations que l'on a qualifiées d'asymétriques entre les gens. Que l'on veuille par là inviter les personnes qui exercent le pouvoir à le faire pour le bien commun, en portant attention à chacun et chacune, je veux bien, mais le pouvoir demeure avec ses possibilités et ses distances. De même, malgré tous les avantages que l'on a à définir d'abord l'Église comme communion,

---

2.   Fernand DUMONT, *L'institution de la théologie*, Montréal, Fides, (Héritage et projet, 38) 1987, p. 235.

il faut bien dire que cette expression est moins sensible aux questions de pouvoir que l'expression «Peuple de Dieu». Cette dernière renvoie plus directement à l'expérience du monde tout en s'en distinguant, elle renvoie directement à la question des relations entre peuple et organisation du pouvoir, Peuple de Dieu et hiérarchie. L'Église-communion avec sa référence trinitaire propose un modèle utopique riche mais qui se présente souvent comme une invitation à oublier que le pouvoir existe, qu'il tend à exacerber l'asymétrie des relations entre croyants et croyantes, et qu'il s'appuie sur une forte bureaucratie centralisée qui n'a rien de communionnelle .

Ces quelques observations dont la plupart ont été explicitées par des historiens, des philosophes et des théologiens dans de longs travaux, n'ont rien de bien originales. Mais, en les rassemblant, on comprend peut-être mieux pourquoi certains théologiens ne parlent jamais du pouvoir alors que d'autres le soumettent à des critiques virulentes. De part et d'autre, il s'agit peut-être encore d'une question de pouvoir : quand on le possède, on le tait ou le camoufle en service; quand on en est privé, on le critique ou on se met à sa recherche. Pourtant, ce qui importe, c'est qu'on ne nie pas son existence et sa nécessité en Église comme ailleurs; c'est qu'on l'apprivoise, qu'on le canalise, qu'on le limite. On verra brièvement dans la seconde partie de cet article comment, au cours des siècles, les façons d'exercer le pouvoir en Église et en société et les relations entre ces pouvoirs ont marqué les réflexions et l'organisation de l'une et de l'autre. Les influences ont été réciproques même dans les périodes où l'on a cherché à diminuer le pouvoir de l'autre, sinon à le faire disparaître.

Emprunts et influences

Se livrer à une vaste rétrospective des emprunts et des influences qui ont marqué l'Église et les sociétés est tâche plus que périlleuse. Précisons au moins les deux termes . Nous allons nous intéresser à l'Église catholique et à l'Occident. Ajoutons deux précisions : pour le premier millénaire, nous allons traiter exclusivement des relations de l'Église avec l'Empire romain ; par la suite, nous allons évoquer les relations entre celle-ci et l'Europe occidentale . Ces relations ont été largement étudiées ces années-ci dans le cadre de la construction de la communauté européenne et des célébrations entourant l'an 2000, le baptême de Clovis et la proclamation de l'Édit de Nantes.

Je ne ferai pas œuvre d'historien, mais je me référerai à différentes synthèses: celles de Moreau, d'Eslin, de Rémond, d'Ellul et de Pacaut[3]. Mon objectif est d'illustrer le fait que l'Église s'est rapidement intéressée aux questions de pouvoir et d'organisation, qu'elle s'est largement inspirée au départ de l'Empire romain, qu'elle a cherché à s'y substituer par la suite et qu'enfin elle a inspiré l'État moderne tout en ayant peine à en tirer quelques conséquences pour elle-même et pour ses relations avec lui. Ces échanges entre l'État et l'Église ont marqué la conception du pouvoir à différentes étapes de l'histoire dans l'une et l'autre institution et ont provoqué divers types de relations entre eux.

Si la façon de présenter la réalité varie beaucoup selon les historiens et si une juste part doit être faite aux divers genres de récits qui sont parvenus jusqu'à nous, personne ne nie l'influence marquante sur l'Église des liens qu'elle a tissés avec l'Empire romain. Ces liens premiers sont liés à la conversion de Constantin dont on a fait par la suite un élément fondateur de l'Église catholique romaine. Si on se perd en conjonctures sur certains faits et certaines dates, on s'entend pour reconnaître que Constantin a accordé la liberté de culte aux chrétiens, qu'il a favorisé l'expansion de l'Église par cette liberté et par certains avantages qu'il lui a accordés et qu'il est intervenu dans les affaires internes de l'Église en convoquant le Concile de Nicée en 325. Pour sa part, Théodose, à la toute fin du quatrième siècle, établit le christianisme comme religion d'État et bannit les rites païens. Ces faits marqueront l'histoire de l'Église jusqu'à aujourd'hui. Arrêtons-nous à quatre brèves réflexions.

L'Empire auquel l'Église se lie est le Bas-empire. C'est un empire en sursis, un empire que l'on veut sauver à tout prix. C'est un empire totalitaire qui cherche à s'allier toutes les énergies de ses membres. Le pouvoir de l'empereur y est absolu, l'autorité des sénateurs est fortement diminuée sinon absente. La bureaucratie est envahissante et fortement hiérarchisée, les charges militaires sont lourdes et coûteuses. On fait face à un État policier et répressif[4]. L'adhésion au christianisme ne changera pas radicalement les choses à ce niveau. Tout se fera lentement et l'empire d'Occident tombera avant d'être christia-

---

3.   Pierre-François MOREAU, « Le Saint-Empire », dans *Histoire des idéologies*, 2 (François CHÂTELET, dir.) Paris, Hachette, 1978; Jean-Claude ESLIN, *op.cit.* ; René RÉMOND, *Religion et société en Europe*, Paris, Seuil, 1998; Marcel PACAUT, *La théocratie*, Paris Aubier, 1957.

nisé, mais l'Église cherchera à le remplacer sans toujours éviter de reprendre certains traits de ce Bas-empire.

Une seconde caractéristique du Bas-empire est le développement d'une nouvelle religiosité plus monothéiste que polythéiste. On est à la recherche d'un Transcendant de caractère personnel, d'un Absolu. On peut soupçonner l'influence du judaïsme et du christianisme dans cette évolution. Mais cette évolution fait aussi l'affaire du pouvoir politique qui est sacré. Plus le Dieu qui légitime son pouvoir est considéré comme transcendant et comme unique, plus le pouvoir sacré de l'empereur est grand, plus il peut s'étendre sur la diversité des peuples et des régions, plus il peut être magnifié dans un culte civique. Cette transformation du religieux, cette ouverture au monothéiste a sans doute ouvert la porte au christianisme, mais il l'a aussi ouvert à une religion d'État avec tout ce que ça signifie : utilisation de la contrainte, lutte contre les non-croyants, manipulation par les dirigeants politiques, utilisation de la foi à d'autres fins, possibilité plus grande de transformation de la culture et de renouvellement des institutions au nom de la religion, facilité des communications, secours plus importants disponibles pour les pauvres. Cette conception fera que l'Église catholique romaine s'attachera jusqu'au Concile Vatican II à la doctrine de la non séparation de l'Église et de l'État, doctrine contraire au christianisme apostolique[5] mais héritée de l'Empire et que l'on justifie à travers les siècles, par diverses distinctions.

La religion chrétienne sert désormais de légitimité à l'Empereur. Celui-ci est le *Pontifex maximus*. Son pouvoir vient du Dieu chrétien universel, à ce point qu'il peut convoquer des Conciles, intervenir dans la nomination des évêques qui sont à ses yeux, non seulement responsables de la foi, mais aussi de la bonne marche de l'Empire et de son développement, de la fidélité des sujets et de l'observation des lois. À tour de rôle, papes et empereurs chercheront à avooir leur suprématie. Le titre de *Pontifex maximus* auquel l'empereur Gratien aura été invité à renoncer au cours du quatrième siècle sera repris par l'évêque de Rome, le Souverain pontife. Ambroise de

4.   Henri-Irénée Marrou, « De la persécution de Dioclétien à la mort de Grégoire le Grand », dans *Nouvelle histoire de l'Église, Tome I*, (Roger, Aubert, Knowles, dir.), Paris, Seuil, 1963, p. 268.
5.   Marcel Pacaut, *op.cit.*, p. 16.

Milan, dès l'époque de Théodose, établit une première règle qui sera toujours défendue par l'Église : «L'Empereur est dans l'Église et non au-dessus de l'Église[6]». On a vu précédemment la doctrine fixée par le pape Gélase au cinquième siècle sur la distinction des pouvoirs et leur hiérarchie. Augustin, dans *La Cité de Dieu*, cherchera à articuler la distinction entre la Cité terrestre et la Cité céleste, entre l'histoire de l'Empire et l'histoire sainte. Il ne règlera pas la question, d'autant plus que les tenants de l'augustinisme, à travers les âges, déformeront sa pensée et sa dynamique en transformant des catégories littéraires et théoriques en catégories descriptives et historiques, identifiant la Cité céleste à l'Église, sinon au pape, et la Cité terrestre au pouvoir temporel, à l'État, sinon à l'empereur.

Les tensions entre le politique et la religion, les réflexions sur la séparation et la distinction des pouvoirs marqueront particulièrement l'histoire de l'Occident et permettront sans doute l'avènement de l'État moderne. Dans le millénaire qui suivra la prise de position de Théodose, la question se posera en reconnaissant que l'empereur et le pape ont tous deux une mission divine qu'ils ont à exercer de façon différente. Cette différence ne sera guère facile à établir. Elle sera souvent déterminée à partir de la force politique des deux principaux acteurs. Plus tard, suite à l'avènement de la souveraineté et de l'autonomie de l'État, on posera autrement le problème de ses relations à l'Église ou aux Églises et religions.

Enfin, retenons deux filiations entre les façons d'exercer le pouvoir dans l'Empire et dans l'Église. Rome était organisée autour des grandes familles au sein desquels on trouvait les sénateurs. Ces derniers perdant toute fonction dans l'Empire, se recyclèrent souvent au service de l'Église et permirent à cette dernière de profiter de leur expérience politique, particulièrement lors de l'établissement des Églises en de nouvelles régions. Ces grandes familles jouèrent aussi un rôle important dans le choix des évêques et des papes puisque ces derniers étaient aussi reconnus comme responsables de la cité[7]. La question de la nomination du pape et des évêques demeurera en Église une question politique réservée à quelques-uns.

---

6.   Jean-Claude ESLIN , *op.cit.*, p. 79.
7.   Michel ROUCHE, « Le couronnement de Charlemagne », dans *Le Nouvel Observateur*, (Hors Série, 40) 2000, p. 27.

Un dernier élément mérite d'être évoqué. Le droit romain antique et impérial a influencé le droit en Église et a été à la base de la transformation du droit occidental au Moyen Âge. Les études en ce sens sont nombreuses, mais elles doivent être mises aussi en relation avec la façon d'exercer le pouvoir. Il n'est pas toujours possible de voir les influences réciproques de l'Empire et du christianisme dans l'évolution du droit au premier millénaire, mais on sait que la mise en valeur de ce droit romain pendant le second millénaire aidera à dépersonnaliser la question du pouvoir et à établir des distinctions qui marqueront l'Occident.

Après le démantèlement de l'Empire romain d'Occident, l'Église se trouve dans une situation assez inconfortable. Ella a à traiter avec divers empereurs, rois et seigneurs; elle les convertit au catholicisme mais souvent au détriment de sa liberté d'action, de ses bénéfices et surtout du pouvoir de nomination des évêques. Elle cherche sans cesse à redonner naissance à l'Empire. On connaît bien l'épisode de Charlemagne, alors que la papauté se met sous la protection du roi des Francs et cherche son appui face à l'empereur d'Orient et au patriarche de Constantinople. Au début du second millénaire, c'est Henri III, roi d'Allemagne, d'Italie et de Bourgogne, puis empereur, qui est protecteur de l'Église mais aussi son principal dirigeant. Il initie la réforme de la papauté et désigne les papes dont un parent, Bruno, qui deviendra Léon IX. Il fallut attendre Grégoire VII pour que la papauté reprenne son autonomie et l'initiative de la mission. Il se substitua ni plus ni moins à l'empereur romain et il fit de l'Église « un État qui exerce désormais les pouvoirs législatif, administratif et juridique d'un État moderne[8] ».

Grégoire VII qui a d'abord été moine, puis proche collaborateur de la papauté, a été élu à la tête de l'Église par les cardinaux, après avoir été acclamé par le peuple romain. Conscient de la mission universelle de l'Église, il a appuyé le renouveau du droit canonique, unifié les lois ecclésiastiques et civiles. Sa visée est le maintien de la société chrétienne et l'harmonie entre ses membres. À cette fin , il élabore une véritable théocratie. Il cherche à libérer le clergé de toute sujétion laïque mais en même temps à christianiser la société ce qui se traduira par une cléricalisation du monde laïc. C'est-à-dire que désormais,

---

8.   BERMAN, cité par Jean-Claude ESLIN *op.cit.* , p. 103.

sous prétexte de la christianisation du monde, l'obéissance au clerc prend le dessus sur l'obéissance à Dieu et à sa conscience. Cela signifie aussi que l'État doit être subordonné à l'Église, que le pouvoir sacerdotal a prééminence sur le pouvoir royal, que la fin naturelle doit être subordonnée au pouvoir spirituel.

Par ses écrits et ses gestes, Grégoire VII exalte la primauté du pape et sa toute puissance sur le clergé. Personne ne peut le juger.

> « Il est responsable de toutes les âmes, alors que les évêques et les prêtres le sont seulement de celles qui leur ont été confiées dans le cadre de leurs diocèses et de leurs paroisses. Il doit aussi spécialement veiller sur les rois. Lui seul enfin est, au nom de l'Église, l'interprète de la volonté de Dieu, rendant juridiquement légitime les décisions divines manifestées dans des événements extraordinaires[9] ».

Il centralise le pouvoir, réduit celui des primats et archevêques, dirige lui-même les évêques et multiplie les légats plénipotentiaires pour les surveiller et les évaluer. Grégoire VII pose les fondements du pouvoir en catholicisme, fondements qui seront consacrés au Concile de Trente et de Vatican I et peu remis en question au Concile Vatican II, puisqu'on parle peu de pouvoir en Église quand on l'exerce.

On peut aussi constater que la réforme grégorienne fait en sorte que le pape s'approprie les insignes impériaux et se proclame symboliquement nouvel empereur. « Les *Dictatus papae* de Grégoire VII le répètent assez sèchement; l'article 8 affirme du souverain pontife : « Seul il peut porter les insignes impériaux. » C'est marquer clairement que, par delà les concessions temporaires, il est seul, «héritier de la puissance de Rome[10] ». On sait aussi maintenant comment le faux document intitulé *Donation de Constantin* qui stipulait que Constantin avait remis au pape le pouvoir sur Rome et les régions occidentales avec les insignes impériaux, a été utilisé pour défendre les pouvoirs universel et temporel du pape dans différentes disputes.

Tout ceci ne doit pas nous faire oublier l'œuvre importante de Grégoire VII, son souci spirituel sans doute, mais aussi les grands pas qu'il a fait faire à l'Église par l'organisation centralisée de celle-ci, par la réforme du droit canonique liée au renouveau du droit romain, par

---

9. Marcel PACAUT, *op.cit.*, p. 81-82.
10. Pierre-François MOREAU, *op.cit.*, p. 65.

la libération des nominations épiscopales du pouvoir politique, par l'ensemble de sa réforme administrative.

Cet effort qui se continuera au cours des siècles pour donner à l'Église les pouvoirs et les moyens d'exercer une mission universelle et de sauvegarder une certaine unité servira de modèle aux autorités politiques à la recherche d'un État unitaire ou national. « Sans le vouloir, l'Église contribuera grandement à l'évolution de l'autorité politique dans ses fonctions administrative, législative, judiciaire ». Dès 1300, grâce à l'autorité d'une série de papes juristes (Alexandre III, Innocent III, Grégoire IX, etc.), l'Église visible était solidement hiérarchisée et organisée, unifiée par la systématisation du droit canonique et l'obéissance à l'autorité supérieure du pape : elle proposait ainsi un modèle relativement efficace d'État unitaire. De plus, la synthèse par l'Église de principes corporatistes, impériaux, féodaux et théocratiques jetait les fondations de l'État absolu du XVIe et XVIIe siècle[11] ».

Pourrait-on dire aussi que la tendance de plus en plus poussée à la centralisation de tous les pouvoirs dans une seule personne en Église, le renforcement de la papauté à la fin du XIXe siècle et l'absence de toute opinion publique dans l'Église a pu servir de modèle à tous les totalitarismes au XXe siècle? Est-ce que la préférence de la papauté à ne faire affaire qu'avec les gens au pouvoir, à négocier avec les «rois» et les «empereurs» et à promouvoir l'obéissance à l'autorité quelle qu'elle soit, n'a pu inconsciemment permettre ces tragédies qui troublent encore aujourd'hui la conscience de l'Europe occidentale? Est-ce que la difficulté de l'Église de se situer par rapport aux deux grandes révolutions occidentales, la française et l'américaine, n'a pas rendu plus difficile la progression vers la démocratie et la reconnaissance de la citoyenneté ? Est-ce que plus fondamentalement encore, sa distance totale vis à-vis l'expérience américaine, son refus explicite à la fin du XIXe siècle de tirer quelque profit de cette expérience qui définirait autrement le rapport entre les Églises et l'État et qui reposait sur la liberté et la responsabilité du citoyen, n'est pas à la source de beaucoup de blocages? Si j'ai centré mon analyse sur l'Europe occidentale, c'est justement parce que l'Église a, jusqu 'à tout récemment, restreint à cet espace politique l'analyse de son rapport au monde et aux pouvoirs, et

---

11. Joan-Lockwood O'DONOVAN, Article : « Autorité » dans *Dictionnaire critique de théologie*, (LACOSTE, Jean-Yves, dir.), Paris, P.U.F., 1998, p.120.

qu'elle a été totalement influencée par l'expérience et l'héritage de l'empire d'Occident au point d'espérer reprendre un rôle moral premier dans la construction de l'Europe en ces dernières années.

À vrai dire, parlant de l'Église, je l'ai régulièrement identifiée jusqu'ici au pouvoir romain, ce qui me paraît correspondre à ce qu'elle a dit d'elle-même, de la réforme grégorienne à Vatican II, mais l'Église, c'est aussi l'expérience religieuse des chrétiens et des chrétiennes, des moines et des moniales, des religieux et des religieuses, des prêtres et des évêques. C'est une expérience marquée par la foi en un Dieu transcendant qui relativise tout pouvoir mais qui lui reconnaît son autonomie, c'est une expérience marquée par la révélation de la dignité de chaque être humain, de sa liberté et de sa responsabilité, c'est une expérience qui ouvre à l'universel, à l'attention au plus petit, à la solidarité et à la justice. Aujourd'hui, il est reconnu de plus en plus que cette expérience chrétienne est à la source du développement des droits de l'homme et de la démocratie comme le reconnaissent, entre autres, des auteurs aussi différents que Charles Taylor et Alain Touraine. Ce dernier dans un livre qui traite de la démocratie affirme: «L'appel au Dieu transcendant se transforma en conscience de l'âme, telle que la définit Descartes, en ascétisme dans le monde, puis en droit naturel, avant d'intervenir dans notre société sous la forme de la justice sociale et de l'éthique qui doit commander nos conduites à l'égard des êtres vivants. La religion ne peut pas être considérée comme l'adversaire de la liberté, pas plus d'ailleurs que de la raison... La foi religieuse...a combattu l'arbitraire du pouvoir politique et défendu les plus défavorisés et les persécutés. L'esprit démocratique doit beaucoup à l'expérience religieuse, en même temps qu'il a souvent eu à lutter contre l'appui que les Églises apportaient aux pouvoirs établis[12].»

Au terme de ce parcours, on pourrait conclure avec Jean Delumeau : « Dans la mesure où elle a été pouvoir, l'Église a constamment démenti l'Évangile[13]. » On peut encore rêver d'une Église égalitaire où il n'y aurait aucune relation de pouvoir. Ma conclusion est tout autre. Une Église sans pouvoir risque d'être une Église dépendante d'autres pou-

---

12.   Alain TOURAINE, *Qu'est-ce que la démocratie ?*, Paris, Fayard, 1994, p. 58-59.
13.   Jean DELUMEAU, *Le christianisme va-t-il mourir ?*, Paris, Hachette, 1977, p. 10.

voirs ou une Église éclatée en multiples groupuscules plus ou moins fermés sur eux mêmes. D'ailleurs, considérons que dans tout groupe organisé, dans toute œuvre de coopération, il y a des relations de pouvoir. Pour être ferment dans le monde, pour exercer sa mission universelle, pour favoriser la solidarité et le respect de chaque personne humaine, l'Église, à l'interne, connaîtra toujours l'exercice du pouvoir en son sein et devra toujours, à l'externe, situer son rapport, sa relation aux autres pouvoirs. Mais, cet exercice du pouvoir interne et ses relations aux pouvoirs externes devront s'inspirer de l'Évangile et de l'expérience chrétienne. Ils devront servir les objectifs et les conditions de la mission. Il faudrait que par son mode d'exercice du pouvoir, l'Église catholique romaine puisse plus difficilement être mise en contradiction avec l'Évangile et que l'on ne puisse plus opposer l'expérience chrétienne, source de civilisation et l'expérience ecclésiale, source de contrainte et de blocage. Au cœur même de la réalité du pouvoir, l'Église devrait plutôt être « sacrement du salut ». C'est cette expression que favorise Mager dans son essai ecclésiologique à partir de la théorie politique de Hannah Arendt[14]. L'Église est invitée, non à nier le pouvoir, mais à faire œuvre de discernement constant quant à son exercice.

Pour ce faire, je suggère que ceux et celles qui s'intéressent à ces questions, aillent chercher, chez les spécialistes en sociologie et en philosophie politiques, certains outils d'analyse qui les aident à discerner les conditions d'exercice du pouvoir en Église. Ce dernier doit pouvoir se situer de façon correcte à l'intérieur de l'interprétation que l'on fait du message évangélique aujourd'hui et doit chercher à influencer, par son exemple, l'exercice des pouvoirs dans les diverses sociétés en faveur de la dignité de toute personne humaine.

Distinctions et relations

Dans la dernière partie de cet article, je désirerais évoquer certains énoncés des sciences humaines quant au pouvoir et suggérer aux théologiens d'en analyser la pertinence dans les études ecclésiologiques. Cette entreprise sera fort limitée et n'est qu'ouverture à une recherche plus systématique. Je m'intéresserai particulièrement à différentes distinctions que les politicologues et philosophes utilisent

---

14. Robert, MAGER, *Le politique dans l'Église*, Paris-Montréal, Médiaspaul, 1994, p. 309.

quand ils étudient le pouvoir dans une société, aux relations qu'ils établissent entre les pouvoirs et aux conditions qu'ils posent à un juste exercice du pouvoir.

On a été habitué à distinguer trois pouvoirs et à prôner leur séparation : le législatif, le judiciaire et l'exécutif. Gérard Bergeron, politicologue québécois, a contesté cette thèse[15]. Il insiste sur l'importance de distinguer dans l'exécutif, le gouvernement et l'administration. Il en arrive à une présentation fonctionnelle et quaternaire de l'État : le gouvernement, le législatif, l'administration et le judiciaire. Le premier, tout comme le législatif, décrète quoi faire ou ne pas faire, il impère selon le terme de l'auteur. Le gouvernement va immédiatement à son but, il a une grande adaptabilité, il exerce sa fonction de façon continue, il doit souvent agir et réagir dans l'immédiat. Le processus législatif est discontinu, il fonctionne par session, il est lent sauf en fin de session. « Le disparate entre les deux fonctions peut se résumer ainsi : d'une part, prévalence du système de collégialité et de la règle d'unanimité (le gouvernement et la solidarité ministérielle) de l'autre, du système d'assemblée et du principe d'opposition. Tandis que le travail législatif fonctionne à ciel ouvert, avec un maximum de publicité, on ne connaît guère le fonctionnement gouvernemental que par ses décisions annoncées après coup[16].» Dans l'ordre de l'exécution, le processus administratif opère selon le principe déductif à partir du gouvernement alors que le processus de juridiction découle du législatif. Ces deux processus sont hiérarchiques. Au cours des dernières années, devant l'extension du processus administratif et son importance en tant que conseil du Gouvernement, s'est posée la question de l'imputabilité directe de ses principaux acteurs.

Dans cette présentation, Bergeron insiste beaucoup par la suite sur le réseau interfonctionnel de la Gouverne, c'est-à-dire sur les rapports de liaison et de distinction qu'entretiennent les quatre fonctions de l'État. Pierre Noël a référé à cette approche de Bergeron dans sa thèse de doctorat sur *Le statut des procédures dans l'Église*[17]. Je crois

---

15. Gérard BERGERON, *L'État en fonctionnement*, Paris-Québec, L'Harmattan-P.U.L., (Logiques politiques), 1993.
16. Gérard BERGERON, *op. cit.*, p. 40.
17. Pierre NOËL, *Le statut des procédures dans l'Église*, Thèse de doctorat, Université Laval, 1999.

qu'il y a encore beaucoup à tirer du modèle dynamique de Bergeron pour une juste compréhension du Gouvernement en Église et pour sa régulation par une approche fonctionnelle et réaliste de ce qu'il appelle la Gouverne.

Mais, il y a aussi à tirer des trois niveaux de l'État que Bergeron discerne et qu'il analyse dans leur interdépendance. Ces trois niveaux sont la « Gouverne de l'État contrôlant » que nous venons d'évoquer avec ses quatre fonctions, la «Politie de l'État contrôlé» ou la société, en tant que politique, avec ses acteurs, ses mouvements, ses représentations, ses conduites et ses moyens d'action et le «Régime de l'État contrôleur» qui surplombe les activités de la Gouverne et qui exerce deux fonctions indispensables : la légitimité face à l'interne et la sécurité face à l'externe. La légitimité renvoie à la constitution et aux chartes. « Les niveaux se renvoient ainsi les uns les autres. Ils ne suggèrent pas de blocs ou de boîtes; ils ne sont pas isolables jusqu'à la séparation. Ils ont toutefois suffisamment d'autonomie relative pour qu'on puisse les distinguer dans ce monde de complexité organisée que sont l'État et l'activité étatiques. S'il n'y a pas d'équilibre strict de niveau, il restera à découvrir en cours de route la façon intra-niveau de poser l'équilibration des phénomènes propres à chacun d'eux, toujours selon la perception *figure-fond*[18]. Cette perspective des niveaux est aussi prometteuse de même que la recherche des équilibres entre eux. Elle renvoie à des acteurs différents ou jouant au moins des rôles distincts qui comportent des pouvoirs propres. Bergeron accepte que cela se joue sous fond de tensions, sinon de conflits, puisque c'est bien là la condition humaine. Chaque niveau exerce une certain pouvoir et a des moyens d'action qui lui sont propres et qui peuvent permettre les rééquilibrages. Voilà, me semble-t-il, un outil conceptuel qui serait utile au théologien et qui, tout théorique qu'il soit, s'appuie sur des analyses empiriques très précises des réalités actuelles, réalités qui influencent l'Église malgré son discours officiel. Ainsi, pourrait-on s'interroger sur la qualité de la Gouverne et des relations qui existent en Église entre ces quatre fonctions, sur la vitalité de la Politie ou des communautés et mouvements ecclésiaux et sur l'influence qu'ils exercent sur la Gouverne, sur l'adhésion par la Gouverne et la Politie ou par la hiérarchie ecclésiastique et par les communautés et mouvements, au Régime, c'est à dire à la Constitution, au

---

18.   Gérard BERGERON, *op. cit.* , p. 29.

fondement de l'Église. Y a-t-il équilibre entre les niveaux ? Quel modèle de relations prévaut ? Les distinctions des pouvoirs des uns et des autres sont-elles établies?

Dans un autre cadre théorique, quand on discute du rôle de l'État et de ses rapports avec les citoyens dans une recherche pour concilier l'aspect contrôlant de l'État et l'exercice responsable de la citoyenneté, on distingue l'État, la société civile et l'espace public. L'État est cette entité juridique constituée par un territoire, une population et un gouvernement. L'usage courant fait de l'État le terme par lequel on désigne le pouvoir ou le gouvernement. L'État est responsable du bien commun et de la paix sociale. Il exerce avec les tribunaux les arbitrages définitifs dans une société donnée. La société civile est constituée de toute forme d'associations, de mouvements, de syndicats, de corps intermédiaires qui permettent aux citoyens et citoyennes de gérer avec d'autres un certain bien commun et de vitaliser la société. On utilise le principe de subsidiarité pour reconnaître des fonctions propres à divers constituants de la société civile. On a coutume de dire que le droit d'association et la multiplication des organisations sont un gage de la vie démocratique. Enfin, l'espace public désigne avant tout la place qu'occupent la délibération et l'argumentation dans l'organisation de la vie en société, dans le règlement des impasses, dans la préparation des lois. Il renvoie à la liberté d'expression et d'opinion, aux divers modes de communication et à la circulation ouverte des idées.

Ces distinctions étant monnaie courante dans l'univers philosophique et jouant un rôle important dans la réflexion actuelle sur la démocratie, elles ont été plus souvent présentes au débat théologique et ont fondé la demande d'espaces publics dans l'Église[19]. De même, la référence à la société civile a provoqué des débats sur l'application du principe de subsidiarité à l'Église au sein même du Synode de 1985. Les conclusions du Synode ont fait un bien triste sort à cette question qui était pourtant très présente dans les documents des conférences épiscopales. Les réflexions méritent sans doute d'être reprises, d'autant plus que le principe de subsidiarité a été souvent utilisé fort erronément pour affirmer le contraire de ce qu'il exprime. Ainsi, dans une thèse de doctorat récente non encore soutenue, l'auteur affirme en s'appuyant sur un théologien romain que « le principe de

---

19. Robert MAGER, *op.cit.*, p.305-317.

subsidiarité risque de présenter les autres évêques comme de purs ins-
truments du pape ».

Dans son livre sur *La structuration du pouvoir dans les systèmes
politiques* paru en 1989, Vincent Lemieux distingue et analyse quatre
pouvoirs à partir des finalités du pouvoir: un pouvoir indicatif ou
d'influence, un pouvoir allocatif ou responsable des ressources, un pouvoir prescriptif et un pouvoir constitutif. Il s'intéresse à la façon dont
chacun est structuré et, à partir de là, il étudie comment peut se réaliser
le changement structurel dans les systèmes politiques. Là aussi, me semble-t-il, le théologien préoccupé par le changement structurel qui aurait
dû être consécutif aux orientations « consti-tutionnelles » de *Lumen
gentium,* trouverait sans doute quelque source d'inspiration.

D'autres auteurs et d'autres modèles d'analyse pourraient être
évoqués. J'ai fait référence délibérément aux œuvres de deux Québécois reconnus sur la scène nationale et internationale à la fois comme
théoriciens et hommes de terrain. Pour eux, comme pour bon nombre
d'auteurs intéressés au pouvoir, celui-ci est d'abord considéré sous
l'aspect de relations interactives entre acteurs ou groupes d'acteurs,
relations asymétriques mais non à sens unique, relations où un acteur
ou un groupe d'acteurs exerce un contrôle ou cherche à influencer un
comportement chez des personnes, mais avec possibilité pour ces dernières de réagir et de se soustraire à ce rapport. Toute relation de pouvoir s'exerce avec un minimum d'adhésion de la part de ceux et celles
sur lesquels il est exercé. En sciences humaines, on est passé d'une
notion substantielle, autocratique, ontologique et sacrée du pouvoir à
une notion relationnelle ou fonctionnelle où la communication et
l'influence ont beaucoup d'importance.

Les questions d'équilibre entre acteurs et entre pouvoirs, les
notions de contre pouvoirs et de limites sont omniprésentes dans la
réflexion contemporaine. De même, le rôle important des constitu
tions, des chartes de droits, du droit et des tribunaux vient relativiser
le pouvoir et porter jugement sur lui. Si nier que le pouvoir existe en
Église fait rire aujourd'hui et est démenti par toute son histoire, ne pas
reconnaître que ce pouvoir en Église doit tenir compte de la nouvelle
compréhension que l'on a du pouvoir aujourd'hui est suicidaire.

Le pouvoir en Église est le lieu de relations interactives et asymétriques. On doit faire appel aux notions d'équilibre et de limites. On
doit tenir compte de la condition humaine de tous ceux qui l'exercent.

À titre d'exemple, la transparence sur les modes de nomination et sur les processus de décisions, la nécessité de mandats à durée fixe, l'indépendance des tribunaux ecclésiastiques, la distinction entre « la gouverne » et l'administration, l'analyse des phénomènes de centralisation et de décentralisation , toutes questions étudiées largement par les politicologues, devraient faire l'objet de débats en Église et chez les théologiens plus particulièrement.

Au terme de ces réflexions, je suis fort conscient d'avoir procédé par illustration plus que par argumentation, d'avoir ouvert un chantier trop vaste pour le temps et l'espace dont je pouvais disposer. Mais, plus que jamais, il faut reconnaître que le pouvoir existe en Église et que la façon dont il est exercé a beaucoup à voir avec l'avenir de l'Église dans la modernité ou la post-modernité. Si pour reconnaître la démocratie et la République, Léon XIII a établi, à la fin du dix-neuvième siècle, la distinction entre l'origine divine du pouvoir et les modes de désignation des gouvernants , il est grand temps qu'en Église, on distingue entre l'origine divine du pouvoir, les modes de désignation des responsables et l'exercice réel du pouvoir. L'expérience morbide des totalitarismes au vingtième siècle, la montée de mouvements sectaires caractérisés par la dictature du chef ou du gourou, la recherche de la dignité pour chaque être humain doivent susciter une large réflexion sur toutes les relations de pouvoir en Église. Cette dernière est appelée à être « sacrement du salut » au cœur même de l'exercice du pouvoir : pour ce faire, il lui faut se laisser questionner par l'Évangile et par les études des sciences humaines. Le théologien, pour sa part, est appelé à jouer sa fonction de médiateur et à utiliser ses relations de pouvoir en ce sens.

RÉSUMÉ

À partir de l'hypothèse qu'il est difficile pour les théologiens de traiter adéquatement de la question du pouvoir, l'auteur met en lumière les principaux obstacles rencontrés par ceux-ci dans leur démarche. Il insiste sur les conséquences liées au fait de considérer le pouvoir d'une façon substantielle ou ontologique et de s'attarder à l'explication de son origine divine. Cette tendance évacue l'analyse des pratiques réelles du pouvoir . Après avoir rappelé, dans une brève rétrospective, les emprunts et les influences réciproques des sociétés et des Églises quant à l'organisation et à la compréhension du pouvoir, l'auteur invite les théologiens à s'inspirer des études des spécialistes en sciences humaines qui considèrent le concept de pouvoir comme une notion fonctionnelle. Une telle façon de faire favorise l'étude des relations interactives et asymétriques entre acteurs ou groupes d'acteurs, permet d'identifier les conséquences des divers modes d'exercice du pouvoir et d'en corriger les aspects négatifs. L'auteur indique enfin comment une telle approche pourrait renouveler la recherche ecclésiologique et améliorer les pratiques des pouvoirs en Église.

ABSTRACT

Theologians have difficulty with the concept of power. Based on this hypothesis, the author examines the main obstacles they must overcome in order to adequately explore the topic. He highlights the consequences of examining power in a substantial or ontological fashion, while lingering over its divine origins. This habit removes analysis from real, concrete ways in which it is exercised. In a brief survey, the author reviews the reciprocal borrowing and influences between societies and Churches in their effort to organize and understand power. The author invites theologians to look for inspiration in the work of social scientists who examine power as a functional notion. This approach favors asymmetric, interactive relationships between actors or groups of actors. It identifies the consequences of different modes of exercising power, and opens the possibility for correcting its negative aspects. Finally, the author comments on how this approach can renew research in ecclesiology and improve the exercise of power within the Church.

Théologiques 8/2 (2000) 127-143

Humilité : l'éthique de la foi

Howard S. Joseph[1]

Dans la tradition juive, l'humilité est une qualité qui comporte toute une gamme des nuances possibles entre la modestie et l'estime de soi. Je veux expliquer ici pourquoi je crois que cette vertu et ce que j'appelle l'**humilité théologique**, devraient jouer un rôle important dans la vie religieuse. En effet, l'une des caractéristiques inquiétantes d'une bonne partie de la religiosité contemporaine est l'absence d'humilité. On s'en rend compte en constatant l'ampleur du fanatisme qui s'autolégitime ou en voyant comment des groupes religieux se retirent du monde pour se replier sur eux-mêmes.

* * *

Les personnes qui sont confrontées à la diversité des croyances et des styles de vie dans le monde moderne doivent parvenir à un compromis acceptable sur la question du particularisme et de l'universalisme. Le défi spirituel et intellectuel le plus difficile auquel nous avons à faire face a rapport au problème de la vérité que cette situation implique : si ma religion est vraie, absolument vraie, quel est alors le statut des autres religions et celui des croyances de leurs adeptes qui sont convaincus que leurs croyances sont vraies, absolument vraies?

Il nous arrive souvent d'ignorer ou de réprimer cette question, ou tout simplement d'adopter l'attitude de tolérance démocratique à laquelle on s'attend dans une société ouverte et libre. Cela peut constituer une solution satisfaisante dans plusieurs cas ; mais quand il s'agit de religion, c'est-à-dire des choix de Dieu et non les nôtres,

---

1. L'auteur est le rabbin de la synagogue Spanish Portuguese de Montréal, Québec, et professeur adjoint au Département de sciences religieuses de l'Université Concordia de Montréal. Une première version de cet essai a été présentée comme communication principale lors du Congrès international de la conférence des chrétiens et des Juifs, à Montréal, en 1998.

l'obligation de prendre parti semble plus pressante. Les religions et leurs adeptes ont tendance à considérer les choses d'une manière absolue. Au mieux, on peut en venir à réaliser que la question que pose l'existence éventuelle d'une diversité de vérités religieuses, inscrites dans de multiples religions, relève du mystère de la foi. Mais on peut se demander s'il y a un cadre conceptuel susceptible de nous amener plus loin — au-delà du mystère et de la tolérance, jusqu'à l'affirmation religieuse des fois qui sont différentes de la nôtre?

Les Juifs ont habituellement considéré les autres religions comme des faussetés. Malgré cette vision globale des choses, ils ont cependant reconnu que les deux groupes religieux principaux parmi lesquels ils vivaient, les chrétiens et les musulmans, avaient un certain rapport avec la religion véritable dans la mesure où ils avaient emprunté et perpétué des enseignements bibliques au sujet de Dieu et du comportement humain[2]. Ce point de vue à été soutenu même dans des situations d'oppression et d'humiliation, même quand la légitimité du Judaïsme était niée sous prétexte que cette religion avait été supplantée par d'autres. Le rappel de ce contexte nous permettra de voir que cette attitude est plus remarquablement généreuse qu'il n'y paraît à première vue.

Ainsi, on reconnaissait que l'Islam et le Christianisme contribuaient à faire disparaître l'idolâtrie de la surface de la terre, de même que les débordements de violence et d'immoralité que la Bible associe à l'idolâtrie. Ils ont aussi diffusé l'idée du Dieu créateur qui donne la Torah et les commandements ; ils ont également préparé le monde à la venue véritable du messie, à une époque où les méprises concernant la doctrine juive auront été clarifiées. Entre-temps, on exprime souvent l'espoir que les croyants individuels de ces religions vivront en conformité avec les codes moraux et religieux qu'ils ont déduits de la Torah. On appelle parfois ce code les Sept commandements de Noé, c'est-à-dire les commandements que Noé aurait reçus après le déluge pour garantir que les humains ne s'abaisseraient plus au niveau antédiluvien de violence et d'immoralité. De même, on reconnaît l'exis-

---

2.   On trouve de nombreux exemples de cette attitude. Voir Maïmonide, Code, Juges (Rois 11,4). (L'édition du Mossad Harav Kook contient le texte restauré avant censure). Voir Judah Halevi, Kuzari (4,23). Pour un exemple souvent négligé, voir le commentaire de David Kimhi sur l'Aqédah (Gn 22). Je reviendrai sur ces textes plus loin.

tence de ceux qui peuvent d'ores et déjà être comptés parmi les justes et les pieux des nations, les *zadikei* ou *hasidei umot ha-olam*.

De grands penseurs juifs tels que Maïmonide et d'autres ont élaboré ce point de vue au cours du Moyen Âge. On doit donc le prendre très au sérieux avant de passer à autre chose. Pour plusieurs de nos contemporains, il représente le meilleur traitement que les croyants d'autres religions peuvent espérer de la part du Judaïsme. Certains diraient qu'il n'y a plus rien à ajouter à propos des autres systèmes de croyances. Nous pouvons vivre dans la paix et la tolérance, en respectant les autres êtres humains qui sont des créatures de Dieu, même si nous n'avons aucune opinion à propos de la vérité de ce qu'ils croient.

Une telle position serait acceptable si nous avions une neutralité absolue par rapport à cette question. Même dans ce cas, ne resterait-il pas malgré tout des attitudes implicites vis-à-vis des autres religions? Ces attitudes seraient-elles vraiment neutres? Et si elles ne l'étaient pas, seraient-elles plutôt favorables ou défavorables à l'égard des autres religions?

À mon avis, il est impossible de maintenir une telle position ; cela peut même s'avérer dangereux. Il y a présentement, par exemple, un mouvement dans le sens du dialogue interreligieux et de l'examen critique des énoncés de sa propre tradition à l'égard des autres. Cette activité dialogale relève pour une bonne part de la prise de conscience que certaines significations implicites de nos discours peuvent prendre des formes particulièrement hargneuses. Des propos tenus dans une communauté, qui ne se voulaient que des mots, peuvent parfois susciter et justifier des gestes meurtriers qui dépassent de loin l'intention originelle de ceux qui les ont prononcés. Je fais évidemment référence à notre expérience de l'Holocauste, au 20ᵉ siècle, qui nous a montré comment des croyances et des attitudes sévères peuvent aller jusqu'à influencer notre comportement à l'égard d'autrui. Les gestes finissent par rattraper les paroles et, éventuellement, le processus de déshumanisation qui en résulte peut mener à la destruction.

Un telle prise de conscience est sous-jacente à une bonne partie des activités de dialogue. Il faut féliciter de nombreuses églises qui ont fait de courageux efforts pour se confronter à leurs propres traditions de mépris à l'égard des Juifs et du Judaïsme. Ils ont démontré qu'une telle entreprise est urgente et qu'il est impossible de laisser les choses aller à la dérive tout en espérant qu'elles aient une fin heureuse.

Cela nous ramène à notre sujet, qui représente un défi majeur pour les Juifs comme pour les autres. Quel est le lien entre la voie que nous adoptons et les voies multiples de ceux au milieu desquels nous vivons?

Le point de vue médiéval semble donc poser plusieurs problèmes. Il porte un jugement sur les autres à partir de soi-même, ce qui est contraire au sage conseil donné dans l'*Éthique des pères* : « Ne juge pas ton prochain tant que tu n'es pas dans la même situation ». Il respecte les individus en tant qu'êtres humains, mais pas quand ils constituent un groupe qui célèbre ses croyances les plus précieuses. De plus, tout en reconnaissant, dans ces systèmes de croyances, des parcelles de vérité qui proviennent du nôtre, il ignore totalement la question de la diversité des croyances religieuses dans la communauté humaine[3].

L'ouverture au pluralisme peut être un dérivé du commandement d'aimer les autres qui constitue la base de l'attitude éthique religieuse. Nous sommes mis au défi d'étendre cet amour d'autrui non seulement au voisin qui partage nos croyances et nos valeurs, mais aussi à l'étranger qui vit au milieu de nous. On peut supposer que l'étrangeté de l'étranger ne se limite pas au fait d'être né ailleurs, mais qu'elle inclut aussi des croyances et des valeurs qui nous paraissent étranges. L'ouverture à l'autre peut paraître très difficile ; c'est néanmoins l'un des buts les plus nobles auxquels on puisse tendre. Quiconque réussirait à surmonter sa peur de l'altérité de l'autre et à lui substituer le respect, l'attention et l'amour réussirait quelque chose de grand et donnerait un exemple de l'amour à son meilleur.

Toutefois une telle approche ne répond pas vraiment à la question de la légitimité des croyances de l'autre. On peut soutenir que cette légitimité serait affirmée sur la base du même amour d'autrui, en dépit du caractère absolu de ma foi. Dans cette optique, les contradictions apparentes sont résolues dans le mystère du Dieu infini. On a cependant affaire ici encore à une forme de tolérance et non à une affirmation de la vérité de ce qui est le plus précieux aux yeux de l'autre. Poussée à la limite, une telle attitude conduit à afficher ses propres croyances avec arrogance et à manifester de la condescendance vis-à-

---

3.   Mehahem Ha-Meiri constitue une exception à cet égard, car il parle de manière positive de tous les peuples qui sont liés par des traditions religieuses et morales.

vis des autres, ce qui va certainement à l'encontre de l'idéal d'humilité qui, avec l'amour, est un des traits caractéristiques de la piété. Cette arrogance repose sur la certitude que mes propres croyances sont clairement exposées, alors que celles des autres demeurent nébuleuses et mystérieuses, voire menaçantes pour les miennes. Mes croyances occupent tout le territoire de la légitimité, ne laissant aucun espace théologique pour celles d'autrui. Ainsi, paradoxalement, même si la rencontre de l'étranger peut accroître notre capacité d'aimer, elle peut réduire notre humilité. Ceci peut nous amener à édifier un mur protecteur autour de notre propre foi pour éviter d'avoir à nous confronter en toute sincérité à l'apport d'autres points de vue ou d'autres idées. C'est qu'en réalité, le défi que l'autre représente pour nous ne se limite pas au plan éthique, mais il a aussi une dimension réflexive, intellectuelle, et, pour le fidèle, théologique.

C'est pourquoi la recherche d'un cadre théorique pour le pluralisme religieux est une nécessité. La catégorie de l'humilité théologique en face du Dieu infini et mystérieux est, je pense, un pas dans la bonne voie. Elle met l'accent sur la nature infinie de l'Être de Dieu, sur la nature finie de notre compréhension, et, par conséquent, sur la possibilité d'une pluralité d'approches légitimes du divin.

Le défi que pose l'expérience moderne de la sécularité est un incitatif pour la recherche d'une base religieuse au pluralisme. La modernité a vu dans la religion une source d'intolérance et d'exclusion, car, dans la société prémoderne, la religion déterminait l'appartenance à une société ou l'exclusion de celle-ci.

Au siècle des Lumières, les penseurs ont fondé la société sur une base nouvelle : les droits naturels et individuels de chacun. La religion ne serait désormais qu'une affaire privée, sans intérêt pour la structure politique en tant que telle.

Les nouveaux États fondés sur ces principes démocratiques — particulièrement dans le Nouveau Monde — ont attiré des gens venus de partout, qui fuyaient l'intolérance et la persécution religieuse. Mais, dans cet environnement plus ouvert, plusieurs ont perdu la foi tandis qu'ils s'intégraient dans la société nouvelle et contribuaient avec d'autres à la création d'une culture commune, séculière, partagée par tous et n'appartenant en propre à personne. Ceux qui tentaient de conserver un engagement intense à l'égard de leur foi et de leur culture d'origine ont eu à apprendre à tolérer — souvent malgré eux — la présence de plusieurs autres systèmes de croyances. C'est ce qui a donné son élan au pluralisme.

Le pluralisme est donc, en définitive, un produit du siècle des Lumières et de son insistance sur la Raison comme source des valeurs. La Raison a créé l'État moderne et la société ouverte qui en résulte. Une démocratie est un processus en développement qui requiert une vigilance constance et un discours rationnel pour maintenir la liberté de ses membres.

Ceux qui ont mis sur pied la société moderne ont peut-être espéré qu'avec le temps, les différences significatives entre les citoyens allaient diminuer ou disparaître ; une culture commune en surgirait, qui lierait les citoyens entre eux[4]. Cette culture pourrait même comporter des éléments de spiritualité et ce qu'on appelle souvent une « religion civile ». En dépit de ces attentes, on constate la persistance remarquable de plusieurs religions traditionnelles. Elles se sont refusées à disparaître et elles continuent d'attirer des croyants engagés et à prendre en charge la vie spirituelle de millions de personnes. Cette persistance, tout comme la revitalisation actuelle de la foi rend urgente la nécessité d'élaborer un pluralisme religieux fondé sur des principes adéquats. Dans un système basé sur la Raison et le discours rationnel, une approche religieuse rationnelle est plus sécurisante et plus attrayante. Les religions n'ont pas à être perçues comme une source de conflit et d'intolérance, et la persistance et la revitalisation de la religion n'est pas nécessairement une menace pour la société démocratique et ouverte. Les religions peuvent inclure un certain degré d'ouverture dans leur propre autocompréhension. La question du pluralisme peut ainsi être considérée comme un autre chapitre de l'histoire continue des relations entre la raison et la révélation, entre la foi et la connaissance.

---

4.   En 1818, Mordecai M. Noah diffusa des copies d'un discours prononcé lors de la dédicace de la deuxième synagogue de Mill Street de la Shearith Israel de New York. En réponse, James Madison écrivait: « Ayant toujours considéré que la liberté des opinions religieuses et du culte appartiennent à toute secte, et que la jouissance paisible de ce privilège est le meilleur moyen humain pour amener tout le monde soit à la même façon de penser, soit à une charité mutuelle qui en est le seul substitut acceptable.... » Dans David DESOLA POOL, *An Old Faith in the New World*, New York, 1955, p.452.

Les croyants doivent humblement reconnaître avoir péché en persécutant, en supprimant et en dénigrant les autres religions[5]. Sans le défi que pose l'expérience de la modernité, nous ne serions peut-être pas parvenus à cette occasion nous élever au-dessus de cette faillite historique. La rencontre de l'intégrité des autres au sein d'une société libre nous a incités à renouveler et à rafraîchir notre autocompréhension. Nous pouvons vivre à la fois avec humilité et avec amour.

Ce qui est en cause ici, en définitive, c'est le défi de la raison face à la révélation. Pour les prémodernes, cette question demeurait sur le plan intellectuel — théologique. C'est aujourd'hui au cœur de l'expérience sociale moderne qu'elle se pose ; cela est encore plus troublant et beaucoup se refusent à l'aborder. Pour quelques-uns, cependant, il s'agit là d'une source constante d'enrichissement et de renouveau sur la voie d'une meilleure compréhension du mystère de Dieu et de la majesté complexe de la création.

Ce problème comporte un ensemble de questions étroitement imbriquées l'une dans l'autre. Lorsqu'on se demande si une religion est vraie ou contient une certaine vérité, nous prenons pour acquis que nous savons ce que nous voulons dire en utilisant le mot vérité lorsqu'il s'agit de religion, y compris la nôtre. Mais est-ce bien dans la nature de la religion de parler de certitude et de «vérité» de la même manière que dans les affaires humaines courantes? Que voulons-nous donc dire par les mots foi, confiance, croyance?

L'humilité est une caractéristique qui comprend à la fois la modestie et l'estime de soi, mais qui évolue plutôt dans le segment de la modestie à l'intérieur d'un continuum qui se déploie entre ces deux qualités.[6] La personne humble évite les deux extrêmes, ne faisant montre ni d'arrogance ni d'un effacement de soi indigne d'une créature faite à l'image de Dieu, et avec laquelle son créateur aimant peut entrer en rapports pour l'interpeller et lui commander. Ils vivent dans

---

5.   En réponse à la même allocution de Noah, Thomas Jefferson écrivait: « Votre secte, par tout ce qu'elle a souffert, a donné une preuve remarquable de l'esprit universel d'intolérance inhérent à toute secte, qui est dénoncé par tous lorsqu'ils sont en position de faiblesse et qui est pratiqué par tous lorsqu'ils ont le pouvoir.... » *Ibid.*
6.   Voir MAÏMONIDE, *Commentaire de la Mishnah, Introduction au Traité Abot (L'Éthique des Pères)*, connu sous le nom des Huit chapitres, ch. 4.

l'humilité, mais avec assurance, confiants qu'il s'agit là d'une disposition essentielle envers le monde qui les entoure.

L'humilité n'est pas importante seulement dans le domaine des relations interpersonnelles. Il s'agit également d'un qualité théologique, d'une catégorie de pensée qui décrit des tendances qui sont déjà présentes dans la réflexion théologique. Lorsqu'elle est définie ainsi, elle devient un concept très utile, qui peut nous servir de guide lorsque nous abordons des questions religieuses[7].

L'humilité théologique trouve sa forme d'expression la plus claire dans l'épisode de la deuxième rencontre de Moïse et de Dieu sur le mont Sinaï, rapporté en Exode 32-34. Moïse s'efforce de profiter de ce moment privilégié pour acquérir la meilleure compréhension de Dieu possible. Il demande avec insistance à Dieu de contempler totalement sa Gloire ou sa Présence. Il se fait répondre que cela est impossible : aucun être humain ne peut atteindre ce but. Même si les humains peuvent voir la Bonté de Dieu, « tu ne pourras pas me contempler de face, car les humains ne peuvent me voir et rester en vie ». Dieu lui dit finalement : « tu me verras de dos, mais tu ne me verras pas de face. »

Ce texte nous a souvent poussés à être des théologiens hésitants ou modestes. S'il n'y a aucune possibilité de venir à bout de notre sujet, alors pourquoi nous en préoccuper?

Mais la leçon véritable est beaucoup plus profonde. Le texte nous enseigne que ce moment spirituel privilégié n'aboutit pas à une connaissance absolue. La rencontre avec l'Absolu est comblante et convaincante, mais ne mène pas à une description rigoureusement exacte de la Divinité. On voit Dieu de dos, mais pas de face. Notre tentative de connaître Dieu doit demeurer inachevée. Malgré tout, le croyant inspiré continue d'être un fidèle après une telle rencontre. Ce qu'il a vu lui suffit.

---

7.   Alors que je réfléchissais à cette idée, je me suis rendu compte que l'expression « modestie théologique » a été utilisée, et ce, en rapport avec quelques-uns des textes dont je vais traiter, mais pas tous. Henry Seigman a utilisé l'expression « modestie théologique » pour parler de notre incapacité à parvenir à la précision en théologie. Voir son essai « Ten Years of Catholic-Jewish Relations: A Reassessment », dans *Fifteen Years of Catholic-Jewish Dialogue 1970-1985*, Roma, Libreria Editrice Vaticana, 1988, p. 31.

Ceci ressort clairement du commentaire de Maïmonide sur l'expérience de Moïse[8]. Il nous rappelle que toutes les descriptions de Dieu ne sont que des métaphores ou des analogies qui ne doivent pas être comprises littéralement. « La Vérité de la Présence de Dieu ne peut être ni comprise, ni perçue, ni scrutée. Qu'est-ce donc que Moïse a demandé au Dieu Saint?... Il a demandé à connaître la réalité de l'existence de Dieu de telle sorte que sa connaissance soit semblable à celle d'une personne dont on a vu la face et qu'on connaît maintenant comme un être unique. » Cela était impossible. Mais « Dieu lui révéla quelque chose qu'aucun être humain n'avait connu avant lui : il lui a fait percevoir quelque chose de l'existence de Dieu qui suffirait à graver dans son esprit le caractère unique de Dieu par rapport à tout être. » Maïmonide explique donc la métaphore du texte biblique. C'est semblable à ce qui se passe quand on ne voit que le dos d'une personne, mais que cela suffit à reconnaître que c'est bien de cette personne qu'il s'agit.

Maïmonide ne dit pas quelle est cette chose particulière qui est révélée à Moïse et qui lui permettrait de reconnaître Dieu de dos, pour ainsi dire. Mais, dans le texte, Dieu parle de « passer devant toi en te montrant toute ma bonté et en proclamant mon nom "Le Seigneur" devant toi : j'aurai pitié de qui j'aurai pitié et j'aurai compassion de qui je veux avoir compassion. »

Selon la tradition juive, ce jour est devenu le Yom Kippour. C'est le jour où la faute du veau d'or a été pardonnée. C'est le jour où le message de l'amour gratuit de Dieu a été proclamé haut et fort.Au moment du Yom Kippour, comme à d'autres occasions où ce moment est évoqué, le nom de Moïse n'apparaît pas dans le texte de la prière. Au lieu ce cela, on le désigne comme « l'homme humble ». Cela nous rappelle que, de toutes les qualités que Moïse possédait sans doute, c'est pour son humilité qu'il est le plus estimé.

Dans le livre des Nombres, aux chapitres 11-12, on présente Moïse comme « un homme humble, plus que toute personne sur terre ». Cela nous renvoie à la perception que Moïse avait de son propre honneur et de sa responsabilité. Il ne recule pas devant la possibi-

---

8.   *Code, I (Mada), Yesodei Hatorah*, Ch.1/9-10. Le rabbin Dr. Emanuel Rackman, mon maître, est celui qui m'a signalé ce texte en premier. L'application que j'en propose est la mienne. Le rabbin Rackman a par la suite donné son aval à mon interprétation.

lité de partager l'esprit divin avec les autres pour que le peuple soit gouverné correctement. « Si seulement tous les Israélites devenaient prophètes, si seulement le Seigneur répandait son esprit sur eux! » Il choisit d'ignorer les calomnies énoncées par Miriam et Aaron à son sujet, assuré d'avoir agi en conformité avec sa mission. Ainsi, au Yom Kippour et à d'autres occasions, lorsque nous souhaitons nous rappeler le message de l'amour et de la bonté divine, c'est Moïse l'*anav*, l'humble, que nous évoquons. C'est cette humilité qui a rendu possible la révélation qui constitue maintenant le cœur de l'espérance du pardon pour ses disciples reconnaissants.

Le Moïse de la maturité est passablement différent de celui que la Bible nous présente au début du livre de l'Exode. Jeune prince d'Égypte, il décide de quitter le palais et d'aller vers ses frères. Plein d'un enthousiasme juvénile peut-être teinté d'arrogance, il frappe un contremaître égyptien qui battait un esclave hébreu. Pensait-il libérer Israël d'un seul coup? Contraint de quitter l'Égypte et de s'exiler en Madian pendant plusieurs années, il devient complètement impuissant pour secourir son peuple. Il a appris l'humilité de manière forte.

Au buisson ardent, Moïse continue d'apprendre l'humilité. Ici, il s'efface beaucoup trop, ne cessait de s'objecter contre son choix comme messager de salut. Il est passé d'un excès de confiance à un abaissement extrême. Il élabore une série d'arguments contre le projet de salut, de sa propre inefficacité à l'impossibilité d'obtenir l'accord du Pharaon et de réveiller un nation démoralisée qui languit en captivité.

Moïse doit être formé pour assumer son rôle de leader. L'humilité, la patience et la reconnaissance que les situations humaines sont complexes et que des reculs — tel que l'épisode du veau d'or — sont toujours possibles, sont toutes des qualités requises de quelqu'un qui doit conduire un peuple vers son salut. Lorsqu'il retourne à la montagne, — après l'Exode, la révélation du Sinaï et l'épisode du veau d'or, — il apprend les limites de la réussite humaine : les êtres humains ne peuvent Me voir et vivre. C'est un Moïse humble qui accepte de ne pas voir Dieu de face. Personne ne peut apercevoir ou comprendre la totalité de la gloire de Dieu. On doit se contenter de le voir de dos.

Ces textes suggèrent quelque chose des limites de la connaissance religieuse : notre vision et les mots que nous utilisons pour décrire une rencontre de Dieu sont au mieux incomplets, finis, et partiels. Le Dieu mystérieux ne peut jamais être saisi totalement. Le Dieu infini peut être contemplé à partir d'une infinité de points de vue, chacun pouvant s'avérer ultimement aussi adéquat que les autres. Par définition, un point de vue ne peut être infini ; il ne peut englober tous les points de vue possibles qui constitueraient la vérité entière sur l'existence de Dieu.

Une telle position peut paraître relativiste. Mais il y a une grande différence entre l'affirmation que toutes les religions sont essentiellement la même chose et l'affirmation que plusieurs religions peuvent être valables ou vraies. La première position implique qu'il n'y aurait aucune différence significative entre les religions, alors que la seconde soutient précisément le contraire. Ces différences peuvent concerner les points de vue et les vérités théologiques, mais elles peuvent aussi être en relation avec les événements et expériences fondatrices sur lesquelles telle tradition est basée, et avec la communauté historique concrète qui proclame telle foi particulière. Pour chaque communauté, ses événements fondateurs et leur articulation en une religiosité vivante au cours des âges est quelque chose de sacré. Il y a donc beaucoup de différences entre les religions : des événements et leur interprétation, des conditions et expériences historiques, une littérature, un langage et une culture sacrée. Chacun de ces points de vue peut être une authentique perception du divin, irréductible aux autres. C'est l'une des innombrables manières dont le Dieu mystérieux et infini peut être perçu.

Le point de vue que je soutiens ici prend au sérieux les traits particuliers de chaque tradition. En ce sens, il évite le danger du nihilisme qui nierait la valeur de toutes les croyances et de toutes les morales sous prétexte qu'on ne peut élaborer aucun critère ultime et absolu. Ce point de vue s'apparente aussi à plusieurs courants philosophiques modernes qui sont arrivés à la conclusion que toute connaissance est relative, c'est-à-dire qu'elle dépend du consensus des individus qui l'acceptent et en vivent. Cela est vrai même de la connaissance scientifique. Elle aussi, en effet, est basée sur le consensus de la communauté scientifique. Ce qu'on considère comme étant la science change constamment à mesure que de nouvelles données sont découvertes et que de nouvelles théories sont proposées. Entre-temps, nous construisons des ponts et voyageons dans des avions comme si les principes sur lesquels se base leur construction étaient absolument sans risque.

Avec la modernité, nous avons assisté à une véritable explosion de la connaissance qui nous est accessible. Ce matériel est organisé en de multiples catégories, chacune reflétant une manière d'aborder la réalité. Ainsi une donnée quelconque peut être analysée par la physique, la chimie et la biologie ; l'histoire, la sociologie et la psychologie. La religion peut aussi avoir quelque chose à dire à ce propos. L'esthétique peut aussi apporter un point de vue. La résultante est une pluralité de formes du savoir et de la connaissance : un pluralisme épistémologique.

De la même manière, le consensus à propos de la connaissance religieuse sur laquelle repose une communauté de foi particulière est un fondement sérieux et concret. La vérité devient donc le sens cohérent qu'une communauté donne aux événements et aux traditions dont elle hérite et à la manière dont cela contribue à l'organisation de la vie collective. Elle est supportée par l'autorité de ses chefs et est reconnue par ses fidèles. À travers cette vérité, ils espèrent apercevoir le divin et assumer dans leur vie personnelle et communautaire les responsabilités qui découlent de cette vision. L'humilité théologique, cependant, leur demande de se rappeler qu'il s'agit de leur vérité, et qu'elle constitue par définition seulement un aperçu partiel de l'infini. Ce qui est merveilleux, dans cette perspective, est que cet aperçu partiel est suffisant pour façonner et engager toute la vie d'une communauté.

Un tel point de vue, par conséquent, peut être la base d'un pluralisme sans relativisme. Ou, si l'on préfère, il peut être la base d'un nouveau relativisme[9] qui associe la vérité à la perspective individuelle à partir de laquelle elle est formulée. Cela nous permet de tenir en même temps aux deux termes de notre problème — le particulier et l'universel, notre croyance en la vérité de notre propre tradition et l'affirmation de la vérité de la foi des autres.

Le scepticisme moderne caractéristique des débats en philosophie de la connaissance, ou l'épistémologie, et donc, le déplacement vers l'humilité théologique, se reflète dans la pensée juive récente. Le rab-

---

9.   On pourrait parler de « relativisme objectif ». Ma réflexion sur ces questions d'épistémologie et de métaphysique a été largement influencée par les écrits de Justus Buchler, entre autres dans son livre *Nature and Judgment and The Metaphysics of Natural Complexes*. Jerome Eckstein m'a initié à ces travaux. En outre, mes lectures en anthropologie culturelle ont contribué à l'élaboration de ce point de vue.

bin Abraham Isaac Kook, tout en reconnaissant que ce scepticisme provenait de la pensée kantienne, ne croyait pas qu'il s'agissait d'une idée nouvelle pour le Judaïsme. Dans une lettre rédigée en 1907, il écrivait :

Même le « passage à Kant » ne réussit pas à contenir la plus petite parcelle de la force d'Israël. En réalité, nous avons toujours su que tous les jugements humains sont subjectifs et relatifs et que nous n'avions pas besoin de Kant pour nous révéler ce secret...[10]

Le rabbin Kook écrivait également :

Il est impossible pour un être humain de connaître l'essence d'une chose, même de sa propre personne, et certainement celle d'autrui, qu'il s'agisse d'un individu ou d'un peuple. Nous gravitons autour du centre du savoir, affairés en estimations et en évaluations... et nous essayons de parler d'une personnalité unique et d'une âme particulière. Il nous faut admettre que la connaissance que nous en avons ne tient qu'à un fil et que le jugement appartient à Dieu[11].

Partant de là, le rabbin Kook concluait que :

Par rapport à la Vérité divine supérieure, il n'y a pas de différence entre un système donné de croyances (ha-emunah ha-mezuyeret) et le scepticisme. Ni l'un ni l'autre ne correspond à la vérité. Toutefois la croyance est plus près de la vérité, tandis que le scepticisme est plus près de l'erreur...[12]

Le rabbin Joseph B. Soloveitchik a abordé ce sujet dans son essai de 1944, intitulé *The Halakhic Mind*[13]. Explorant la valeur de la philosophie et de la connaissance religieuse comme formes de connaissances, il conclut que le pluralisme épistémologique conduit au pluralisme métaphysique. Une fois établi de manière adéquate que nous vivons dans un univers aussi bien que dans une société pluraliste, la question abordée dans cet essai peut être soulevée : quelle est la relation entre notre connaissance et d'autres formes de connaissance?

---

10. Voir Mossad Harav KOOK, *Iggerot Reiyah,* Jerusalem, 1985, p. 47. Je remercie le Dr. Tamar Ross pour cette référence aux travaux du rabbin Kook et celles qui suivent.
11. Mossad Harav KOOK, *Orot Hakodesh,* Volume 3, Jérusalem, 1985, p. 119.
12. Mossad Harav KOOK, *Orot Ha-Emunah,* Jerusalem, 1985, pp. 23-24.
13. Joseph B. Soloveitchik, *The Halakhic Mind,* Seth Press, New York-London, 1986.

La connaissance religieuse prétend être une connaissance absolue de l'Absolu. Mais si toute connaissance est en rapport avec un point de vue à partir duquel cette connaissance est acquise, une méthode par laquelle ce savoir est constitué, comment alors peut-on soutenir une quelconque prétention à l'absolu? La catégorie de l'humilité théologique permet de décrire et de définir cette réalité à laquelle la pensée religieuse moderne est sensible.

Peut-on dégager de l'analyse précédente des critères qui permettent à une tradition croyante d'en évaluer une autre? Y a-t-il des attentes légitimes que des communautés de foi peuvent entretenir l'une à l'égard de l'autre? Avec toutes les réticences et l'hésitation que suggère l'esprit d'humilité théologique, je propose ici quelques implications de cette réflexion qui peuvent être à la fois éprouvantes et interpellantes.

1. Un premier critère permettant d'évaluer la vérité d'un système religieux pourrait être l'humilité théologique elle-même, la reconnaissance autocritique de la nature limitée de toute compréhension humaine du divin. Ainsi, une voie spirituelle ou religieuse quelconque n'est qu'une voie, pas davantage. Toute prétention à être autre chose serait infidèle à l'expérience religieuse fondatrice.

Les croyants peuvent-ils parvenir à une telle reconnaissance? Doivent-ils affirmer la supériorité de leur point de vue sur celui des autres? Doivent-ils prétendre que leurs croyances ont une valeur universelle et tenter de les imposer aux autres? Ne leur suffit-il pas de se réjouir, de célébrer et de témoigner de leur propre système de croyances? Doivent-ils avoir la conviction que, pour que leur système soit vrai, il doit l'être pour tous et non seulement pour eux-mêmes?

2. Un autre repère pourrait être la leçon que Moïse a apprise lors du premier Yom Kippour. Personne ne peut saisir les voies de Dieu et prévoir la manière dont Dieu se révélera, car « J'aurai pitié de qui j'aurai pitié et j'aurai compassion de qui je veux avoir compassion. » Lorsque la Présence miséricordieuse de Dieu se manifestera, nous la reconnaîtrons comme telle. En d'autres termes, quand nous (démontrons) nous voyons de la pitié et de la compassion, nous rencontrons la divine Présence, même si cela se passe en dehors de notre propre communauté.

Je rappelle que je suis très hésitant lorsque je formule ces suggestions. Je les trouve éprouvantes, mais elles me réconfortent également,

parce qu'elles nous défient de renoncer à une critique autojustifica-
trice des autres communautés et à nous examiner nous-mêmes sur
notre propre humilité et notre capacité de reconnaître les manifestations de la grâce chez les autres.

3. La notion d'élection doit aussi être réexaminée. Y a-t-il place
pour un tel concept dans la perspective de l'humilité théologique?
Mon sentiment personnel à cet égard est un oui catégorique.

J'ai fait allusion plus haut à quelques traditions juives médiévales
qui abordent la question des autres religions. Chacune reconnaissait
dans ces religions autres un but divin pour lequel elles avaient été
choisies. Maïmonide disait ceci tant du Christianisme que de l'Islam :

> Les humains, toutefois, ne peuvent sonder les pensées (ou les projets) du
> Créateur, dont les voies et les pensées ne sont pas comme les nôtres. Tou-
> te l'affaire de Jésus de Nazareth et de l'Ismaélite (Mahomet) qui l'a suivi
> consiste à aplanir la voie pour le Roi Messie et à préparer l'univers entier
> à servir Dieu ensemble...[14]

Ainsi, même les penseurs juifs qui considèrent l'élection d'Israël
comme un principe théologique fondamental peuvent imaginer en
même temps un choix délibéré des autres. Nous ne comprenons
jamais totalement le drame divin qui est à l'œuvre dans l'humanité.
Nous ne pouvons sonder le mystère des autres religions par les critères
qui nous sont propres. Chacune peut conserver sa conviction d'une
élection particulière, mais elle doit laisser de la place pour les autres
également.

La sensibilité culturelle de la fin du 20e siècle a changé à travers le
monde. Il est à nouveau légitime de se distinguer et d'assumer sa différence ethnique ou religieuse. La religion redevient « à la mode ».
Alors que nous sommes tentés d'accueillir favorablement ce changement, de sérieuses questions doivent être soulevées. La foi religieuse

---

14.   Code, Juges (Rois 11,4). Les autres sources chez Halevi and David
Kimhi notées précédemment expriment un point de vue similaire.
La conclusion de Maïmonide ici, « à servir Dieu ensemble » demande étude.
Est-ce qu'il anticipe qu'il n'y aurait plus qu'une seule religion à la fin des
temps, alors que tous seraient convertis au Judaïsme?
Plus récemment, le rabbin Naphtali Zvi Yehuda Berlin (1817-93), connu par
l'acrostiche de son nom, Neziv, s'est attardé à cette question générale dans

en ré-émergence répétera-t-elle les erreurs du passé, recréant un climat triomphaliste, arrogant et intolérant ? Ou sera-t-elle humble, purifiée par sa faiblesse au sein des sociétés séculières et par sa souffrance sous la répression des régimes totalitaires? Aura-t-elle appris quelque chose de valable de l'expérience pluraliste moderne ou tentera-t-elle de nous faire retourner à une manière de vivre prémoderne, dans des sociétés fondées sur l'homogénéité religieuse, l'exclusion et la ségrégation ? Ces questions devraient nous faire prendre conscience de l'urgence de reconnaître, à la fois la vérité et la valeur de « l'humilité théologique » comme concept à développer pour notre temps.

L'humilité théologique génère d'autres formes d'humilité également. Celui qui est vraiment humble évite l'arrogance et laisse de la place pour d'autres points de vue ; il apprend des autres parce qu'il sait qu'il ne possède pas la vérité tout entière ; il laisse aussi un espace ouvert dans lequel la majesté mystérieuse de Dieu peut s'exprimer de manière toujours nouvelle et inattendue. Celui qui est vraiment humble a suffisamment d'estime de soi pour prendre la vie humaine au

---

Shear Yisrael (Le reste d'Israël). Il soutient que puisqu'Abraham a été chargé de devenir « un père pour une multitude de nations, » le plan de Dieu n'est pas de faire disparaître les autres nations et de les fusionner à Israël. Neziv pense plutôt que le but de l'alliance avec Israël est de provoquer une élévation de la vie religieuse ou des alliances des autres nations. « Votre devoir est maintenant d'enseigner à toutes les nations la reconnaissance de Dieu et non de les convertir comme on l'a fait jusqu'à maintenant. L'intention de Dieu, depuis les origines, a été de maintenir l'intégrité de toutes les nations et non de les incorporer une à une à Israël. C'est aussi le désir de Dieu que tous les peuples en viennent à le reconnaître et à l'adorer, lui seul, et que l'idolâtrie cesse. Par conséquent, Abraham a reçu l'ordre de devenir le père de nombreuses nations, même sans leur conversion. »

Bien qu'il ne fasse pas référence à l'affirmation de Maïmonide ici, il la mentionne ailleurs. Voir le commentaire du *Cantique des Cantiques Metiv Shir* (7,1). Il pourrait avoir supposé que Maïmonide aurait été d'accord avec lui.

Cet essai, *Shear Yisrael*, a été publié avec *Metiv Shir*. L'ouvrage combiné qui en résulte a pour titre *Rinna Shel Torah, Le cantique de la Torah*. Toutes les éditions hébraïques ont gardé les deux ensemble, selon le vœu de Neziv. Une traduction anglaise de *Metiv Shir* a été publiée récemment sous le titre *Rinna Shel Torah* mais sans *Shear Yisrael*. J'ai publié une traduction de *Shear Yisrael* sous le titre *Why Antisemitism?*, Jason Aronson, 1996.

sérieux et pour tenter de réaliser tout ce qui est possible pour que le ciel et la terre puissent se rencontrer plus souvent dans les moments de grâce qui surgissent dans nos vies ; il croit que même s'il ne se sent pas apte à la tâche, il ne peut s'en soustraire ; et il croit que Dieu a confiance en sa valeur pour la réaliser.

RÉSUMÉ

La catégorie de l'humilité théologique met en évidence la nature infinie de l'Etre mystérieux de Dieu, la nature finie de notre compréhension et, par conséquent, la possibilité d'une pluralité d'approches légitimes du divin. Divers groupes religieux aperçoivent le divin grâce au sens cohérent qu'ils donnent aux événements et aux traditions dont ils héritent. L'humilité théologique, cependant, oblige les croyants à se rappeler qu'il s'agit de leur vérité, et qu'elle constitue par définition seulement un aperçu partiel de l'infini, suffisant néanmoins pour façonner et engager toute la vie d'une communauté. Ce point de vue peut fonder un pluralisme qui nous permet de tenir en même temps notre croyance en la vérité de notre propre tradition et l'affirmation de la vérité de la foi des autres.

ABSTRACT

The category of theological humility focuses on the infinite nature of God's mysterious Being, the finite nature of our understanding and, consequently, the possibility of a plurality of legitimate approaches to the divine. Various religious groups get a glimpse of the divine through the coherent meaning they give to the events and traditions to which they are heirs. Theological humility, however, requires believers to remember that this is their truth, of necessity of a partial glimpse of the infinite, sufficient nevertheless to shape and engage the total life of community. This position can be the basis of pluralism without relatitvism which enables us to hold on to both our belief in the truth of our own particular faith and the affirmation at the truth of other faiths.

Théologiques

Numéros déjà parus